故宫珍寶帝后生活

启功题

Exposition organisée par

CHINAGORA
Centre d'Échanges Économiques
et Technologiques France-Chine

en collaboration avec le

MUSÉE DE L'ANCIEN PALAIS DE PÉKIN

À Rolf & Dorothy
avec ma meilleure Pensée

Texte de

RINNIE TANG

PIERRE COLOMBEL

Introduction

ALAIN PEYREFITTE

Éditions : RÉMY - MARIE-ANGE

Réalisation du catalogue

Rinnie TANG-LOAËC
Pierre COLOMBEL
Tsan-Tsoun CHEN

en collaboration avec
l'équipe du Musée de l'Ancien Palais de Pékin

Maquette : Pierre COLOMBEL

Photos : l'équipe du Musée de la Cité Interdite
        Pierre COLOMBEL
        Rinnie TANG-LOAËC

Conception de l'Exposition

JI SEN
DING XIAO-YU
QIU JUN

Avec la participation de

LI JIUFANG
WANG BAOGUANG
JI WEI
DING MENG
LI GUOQING
LIU AIMING
LI ZHANGSHUN

Sponsors :

SCIC AMO
ASSISTANCES AUX MAÎTRES D'OUVRAGE

SOMMAIRE

Trésors de la Cité Interdite
par Alain Peyrefitte

« Quand on a vu ce que l'Italie et la France ont de monuments et d'édifices, on n'a plus que de l'indifférence pour tout ce que l'on voit ailleurs », écrit le jésuite franc-comtois Jean-Denis Attiret, arrivé à Pékin en 1739 en qualité d'artiste peintre. Mais il fait cette restriction : « Il faut cependant excepter le palais de l'empereur à Pékin ; car tout y est grand et véritablement beau. Nulle part rien de semblable ne s'est offert à mes yeux. Ce palais consiste en général dans une quantité de corps de logis, détachés les uns des autres, dans une belle symétrie, et séparés par de vastes cours, par des jardins et des parterres. La façade de tous ces corps de logis est brillante par la dorure, le vernis et les peintures. L'intérieur est garni et meublé de tout ce que la Chine, les Indes et l'Europe ont de plus beau et de plus précieux ».

En 1793, un autre peintre, l'Anglais Alexander qui accompagnait l'ambassade conduite par lord Macartney, confirme « la magnificence des décors de ce palais extraordinaire. On nous conduisit à travers trois grandes salles d'audience ; l'une d'entre elles était d'une somptuosité dépassant toute expression. Le plafond était soutenu par des colonnes dorées, réhaussées de figures en relief richement ornées et représentant dragons, bêtes mythiques, etc. Le sol était recouvert de tapis magnifiquement travaillés. Ces grandes salles, toutes alignées sur le même axe, étaient séparées entre elles par des cours pavées de marbre. Leur décoration ornementale était aussi riche à l'extérieur qu'à l'intérieur. L'un de ces édifices pouvait faire cent-cinquante pieds de long. Le trône qui s'y trouvait était tout entier doré et donnait à lui seul une impression extrêmement pompeuse. Six des colonnes de cette salle étaient réhaussées de figures de dragons en relief, qui avaient l'air d'être en or massif. Les autres colonnes étaient recouvertes de peinture rouge. Le plafond était formé de caissons carrés alliant le vert et l'or. L'ensemble avait vraiment un aspect somptueux ».

Ce palais impérial, entr'aperçu ici par deux Européens du XVIIIe siècle, c'est la *Cité Interdite*. Ce vaste rectangle, d'un kilomètre de longueur dans son orientation Sud-Nord, sur sept-cent-soixante mètres dans sa dimension Est-Ouest, est ceint d'une muraille de sept mètres de haut, percée de quatre portes, et dominée à chacun de ses angles par des pavillons. L'ensemble, commencé en 1406, a sans cesse été rénové, mais très peu modifié, de l'origine à la fin du XIXe siècle. Les appartements privés ont été occupés jusqu'en 1924.

Ces appartements, les Occidentaux n'eurent guère le loisir de les décrire : n'y avaient accès que les eunuques au service de Sa Majesté. Or, c'est là surtout que les empereurs rassemblaient les objets rares que la plupart d'entre eux collectionnèrent avec passion.

Ces objets affluaient du monde entier. A commencer par les provinces chinoises et les contrées tributaires de l'empire : Corée, îles Liuqiu, Tonkin, Birmanie, etc. Nous y trouvons tout ce que Chine et Extrême-Orient évoquent immédiatement à notre souvenir : laques rouges et laques bleues, jades blancs ou verts, soies et brocards ; ivoire, nacre, écaille travaillés ; peignes, épingles à cheveux, éventails ; écritoires de bois précieux, vases et aiguières en cloisonné, bleu, rouge et or, porcelaines, cloches de bronze, armes aux lames effilées, boîtes, coffrets, étuis aux formes et vocations infiniment variées. Des lanternes, enfin, des paravents, des papiers peints...

La diversité réside moins dans les usages de ces objets, que dans leur forme, leurs couleurs, les matériaux dans lesquels ils ont été travaillés. Cette diversité frappe, et après elle s'impose la perfection apportée à l'ouvrage. Aucun doute : chacun offrait à l'empereur ce qu'il avait de plus achevé.

Teilhard de Chardin n'avait pas tort, quand il formulait ce jugement sur les œuvres chinoises : « Les grandes constructions chinoises (palais, portes, murailles) sont faites de poussière, et leurs seules solides substances (jade, bronze, porcelaine) ne peuvent servir qu'à des bibelots ». Car c'est bien la Chine (et l'univers qu'elle régente), que racontent ces objets au dessin parfois étrange et à l'usage à nos yeux incertain.

Les Occidentaux offrirent aussi des présents aux souverains chinois. Le père Ricci fut reçu à la

Cour de Pékin en 1601, grâce à la renommée d'une horloge qui l'y avait précédé. Les quelques ambassadeurs européens qui viennent à Pékin entre 1660 et 1793 rivalisent d'ingéniosité pour tenter de se concilier les grâces du Fils du Ciel. Les missionnaires catholiques eux-mêmes apportaient des présents quand ils entraient au service de la Cour. Les rites commandaient que le présent comptât vingt-sept pièces, elles furent parfois somptueuses : peintures, tapisseries, glaces, horloges, lustres, automates, etc.

Les raretés occidentales arrivent aussi à Pékin par une voie bien chinoise : les mandarins et les marchands cantonais souhaitent plaire à leur maître en lui offrant de ces *sing-song* qu'eux-mêmes savent se procurer à bon compte auprès des marchands européens. Quelle que soit la main qui leur en faisait l'offrande, les empereurs Qing, comme les derniers Ming, ont raffolé des automates venus d'Europe ; c'est ainsi que lord Macartney, à *Yuanming yuan*, le Parc de La Parfaite Clarté, que nous appelons Palais d'Été, entendit sonner un cartel dont le carillon jouait *L'Opéra du Gueux*.

Les archives du Grand Conseil relatives à l'ambassade de Macartney montrent l'empereur Qianlong impatient de connaître les présents que les Anglais lui apportent : notamment un extraordinaire planétarium réglé pour mille ans, et qui est dénommé dans certains documents : *horloge astronomique, géographique et musicale*. Souci politique : le tribut est-il décent ? Mais nous savons aussi, par une anecdote que conte le père Amiot, jésuite français qui réside à Pékin de 1751 à sa mort en 1793, quelle passion nourrit l'empereur pour les automates. Le frère Sigismond avait fabriqué « une des ces machines capable de marcher à la manière ordinaire des hommes ». Ses confrères n'eurent bientôt plus qu'une crainte, que l'empereur ne déclarât : « Tu l'as fait marcher ; tu peux bien la faire parler ».

Qianlong aime les lustres : il fait emporter dans ses appartements les deux pièces monumentales que lui offre Macartney ; il prise, disent les missionnaires, la porcelaine occidentale, plus fine que les produits chinois ; la miroiterie : les jésuites français lui offrent de grandes glaces en 1766, pour lesquelles il fait bâtir un pavillon.

Aime-t-il les armes de chasse ? Staunton, le second de Macartney, lui remet une paire de fusils richement travaillés.

Et rien n'est dit ici de l'intérêt qu'il a longtemps porté aux expériences scientifiques, dont, pour sa part, son grand-père Kangxi ne se lassa jamais...

Qianlong aime la peinture ; la peinture chinoise et celle de l'Occident - ou qu'il croit telle. Il est, en effet, le mécène d'un genre pictural inédit, dont les plus célèbres représentants sont le frère Attiret, déjà nommé, et le frère Giuseppe Castiglione, arrivé en Chine dans les dernières années de l'Empereur Kangxi et mort en 1766. Tous deux ont laissé des scènes de chasse, des scènes militaires, des scènes de banquets et de divertissements impériaux qui donnent une brillante idée de ce qu'était la cour sino-mandchoue. Vue par un Européen ? Pas vraiment. Le frère Attiret avoue : « Mes yeux, mon goût, depuis que je suis en Chine, sont devenus un peu chinois ». Le portrait équestre de Qianlong en 1740 est peut-être la plus éblouissante de ces pièces, qui marient si intimement les goûts chinois et mandchou avec celui de l'Occident.

Macartney, après avoir vu dans la résidence d'été de Jehol, en Tartarie, quelques uns des pavillons qui en agrémentent le parc, constatait : « Nos présents risquent de faire pauvre mine, à côté de ce que nous venons de voir ; et il paraît qu'il y a dans les appartements des femmes et le dépôt européen de *Yuanming yuan*, des pièces plus belles encore ». Qianlong avait ordonné à son légat auprès de l'ambassade de faire savoir à Macartney que la Cour de Chine possédait déjà les précieux objets dont se composait le tribut qu'il apportait. Et ce n'était pas seulement pour rabaisser la crête de l'arrogant envoyé anglais.

Les empereurs de Chine entraient en effet très vite en possession de ce que l'Occident souhaitait leur faire connaître : tant d'Européens, tant de mandarins s'étaient empressés de leur en faire don - pour les séduire ou pour les amadouer.

Alain Peyrefitte
de l'Académie Française
de l'Académie des Sciences Morales
et Politiques

Préambule

A l'heure où les toitures vernissées de la Cité Interdite s'enflamment sous les derniers rayons du soleil couchant, les visiteurs, par milliers, refoulés par les gardiens, semblent jaillir des Salles d'Audience, des appartements, des galeries et des jardins, déferlant vers les cinq ponts qui enjambent la Rivière des Eaux d'Or, avant de s'engouffrer dans le gigantesque portail du Palais Impérial de Pékin, la Porte du Midi, et se répandre en foule innombrable sur la place Tien An Men.

Alors apparaît dans le ciel une autre foule qui rassemble, venant de toutes les directions, de grands vols tourbillonnants de flèches noires se détachant sur l'azur. Les corbeaux, par centaines et centaines, regagnent, comme chaque soir, leur domaine nocturne, lorsque l'homme s'en est allé.

Les gardiens, leur ultime ronde effectuée, referment comme autrefois les portes d'accès de chaque partie du Palais qui abritèrent le pouvoir suprême, les joies et les intrigues des Impératrices, des concubines impériales, ainsi que des servantes et des milliers d'eunuques. Seuls, derniers témoins comme imprégnés de messages d'antan, les objets, restés à leur place, reposent sous un léger voile de poussière. Chargés, dans leur mémoire muette, des souvenirs feutrés de la vie nocturne des Fils du Ciel des deux dernières dynasties et de l'histoire intime des femmes du harem, ils exhalent encore un parfum subtil, souvenir impalpable de la vie dans ces demeures closes.

C'est une partie de ce témoignage, composée d'objets authentiques sélectionnés entre les plus représentatifs, que le Musée de la Cité Interdite envoie pour être exposés en France, et dévoiler ainsi un précieux mémoire de la Chine ancienne, marques du raffinement, de « l'Art de Vivre » au sommet, fondés sur l'intelligence et la richesse créative de la population chinoise.

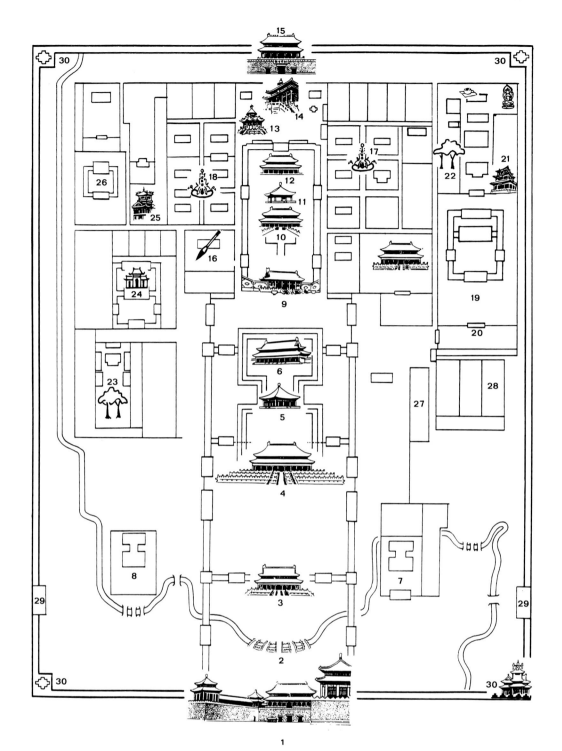

Plan de la Cité Pourpre Interdite

1 - Porte du Midi : Wumen
2 - Ponts de la Rivière aux Eaux d'Or : Jinshue Jiao
3 - Porte de l'Harmonie Suprême : Taihemen
4 - Palais de l'Harmonie Suprême : Taihedian
5 - Palais de l'Harmonie du Milieu : Zhonghedian
6 - Palais de l'Harmonie Préservée : Baohedian
7 - Palais de l'Épanouissement Littéraire : Wenhuadian
8 - Palais de la Splendeur Martiale : Wuyingdian
9 - Porte de la Pureté Céleste : Qianqingmen
10 - Palais de la Pureté Céleste : Qianqinggong
11 - Palais de la Sérénité du Croisement : Jiaotaiding
12 - Palais de la Tranquillité Terrestre : Kunminggong
13 - Jardin Impérial : Yuhuayuan
14 - Temple Taoïste : Qin'andian

15 - Porte du Divin Martial : Shenwumen
16 - Palais de la Culture de l'Esprit : Yangxindian
17 - Six Palais de l'Est : Dongliugong
18 - Six Palais de l'Ouest : Xiliugong
19 - Palais de la Longévité et de la Tranquillité : Ningshougong
20 - Mur de 9 dragons : Jiulongbi
21 - Théâtre : Zanyingu
22 - Jardin de Qian Long : Qian Long huayuan
23 - Jardin des Veuves Impériales : Ci'ninggong huayuan
24 - Palais des Veuves Impériales : Ci'ninggong
25 - Pavillon des Pluies de Fleurs : Yuhuage
26 - Palais de la Longévité et de la Paix : Shouangong
27 - Services de Cuisine : Yushanfan
28 - Services médicaux : Yu'yaofan
29 - Porte Est et Porte Ouest : Donghuamen, Xihuamen
30 - Tours d'angles : Jiaolou.

Tour d'angle de la Cité Interdite

Plan de la Cité Interdite

Avant de pénétrer dans l'enceinte de la Cité Interdite les visiteurs montent souvent sur une colline artificielle - le « Jin-Shan » - appelée couramment « la Colline de Charbon », située juste à l'extérieur de la Porte Nord du Palais, pour avoir une vue panoramique de l'ensemble et pouvoir ainsi mieux se situer après avoir pénétré au sein de cette immense cité de 720 000 mètres carrés de superficie.

Du sommet de la colline on embrasse d'un seul regard les deux grands ensembles qui composent la Cité Interdite : la partie consacrée à la vie politique et celle réservée à la vie privée, le tout comptant 9 999 salles, nombre symbolique, le « 9 » représentant la puissance du « Yang » à son maximum.

La vue du haut de la colline permet ainsi de mieux saisir la répartition du lieu dont l'orientation, le relief, obéissant aux exigences géomantiques conduisent, selon la tradition, le destin de ses occupants.

La Cité Interdite est entourée d'une muraille haute de dix mètres formant une enceinte rectangulaire de 960 sur 760 mètres, doublée d'un large fossé extérieur rempli d'eau. Elle est située au coeur de la Ville Impériale, elle même autrefois munie d'un mur d'enceinte qui mesurait 2 500 sur 2 750 mètres de côté, présidée au Sud par la célèbre Porte de Tien An Men. Une troisième muraille (aujourd'hui détruite) qui les emboîte, enfermant la ville de Pékin proprement-dite, occupe un terrain de 6 650 mètres par 5 350 mètres. Elle est prolongée, au Sud, par une seconde ville qui forme un quadrilatère de 7 950 par 3 100 mètres, comprenant la ville commerciale et les quartiers d'artisanat.

Tout au Sud se trouvent le Temple du Ciel, le Temple de la Terre et le Temple de l'Agriculture, où l'Empereur célèbrait des cérémonies annuelles.

Le plan architectural de Pékin reflète la conception traditionnelle de la Chine Impériale, et la Cité Interdite est le symbole du Centre de « l'Empire du Milieu ».

La Porte du Midi

L'entrée principale de la Cité Interdite est nommée « Wumen » ou « Porte du Midi ». Elle se situe dans la position Sud de l'axe central dit « Midi-Minuit », du Palais. A l'opposé, au Nord, s'ouvre la « Porte du Divin Martial » où se trouvaient la cloche et le tambour que l'on sonnait chaque jour pour annoncer l'ouverture et la fermeture des portes du Palais. A l'Est et à l'Ouest se trouvent deux autres ouvertures : la « Porte Est de la Splendeur » et la « Porte Ouest de la Splendeur ».

La Porte du Midi est une construction massive dont le plan est en forme de fer à cheval. Coiffée par 5 pavillons, elle est munie de 5 entrées distinctes : 3 sous le pavillon central, 2 sous les pavillons situés aux deux extrémités latérales. L'accès de chaque porte était réservé à des personnages précis, conformément à une hiérarchie bien définie: seul l'Empereur pouvait utiliser régulièrement la porte centrale. L'Impératrice n'avait le droit d'entrer au Palais par cette porte que le jour de son mariage. Enfin le jour de leur nomination, par l'Empereur en personne, les trois lauréats du Concours Impérial avaient l'honneur de quitter le Palais en franchissant la porte centrale. Les portes Est et Ouest du pavillon central étaient réservées aux princes et à la noblesse Mandchoue. Quand aux portes situées sous les pavillons latéraux, elles n'étaient ouvertes que les jours de grandes fêtes. La porte d'extrême Est étant réservée au passage des fonctionnaires civils, celle de l'Ouest aux militaires.

Sitôt franchie la Porte du Midi on se trouve dans la « Cité Interdite » proprement dite. Elle est divisée en deux parties auxquelles sont attribuées des fonctions distinctes.

QIAN-CHAO : « les Palais du Devant », formé de l'ensemble des bâtiments méridionaux, où se déroulaient l'Audience Matinale et les cérémonies solennelles à caractère étatique, présidées par l'Empereur en personne.

NEI-TING : « les Palais Intérieurs », composé de l'ensemble septentrional, était la résidence de l'Empereur et de sa famille. Ici, aucune personne étrangère à l'entourage impérial n'avait le droit de pénétrer.

Le QIAN-CHAO, la Partie Politique, est dominé par trois édifices :

— « TAIHEDIAN » ou « Palais de l'Harmonie Suprême ». C'est ici que se déroulent les Audiences Matinales auxquelles assistent les dignitaires civils et militaires, classés selon une hiérarchie comportant neuf rangs. Le Palais de l'Harmonie Suprême représente le pouvoir suprême de l'Empire du Milieu.

— « ZHONGHEDIAN », le « Palais de l'Harmonie du Milieu ». Lieu où se repose l'Empereur avant de présider les cérémonies. C'est également dans ce palais qu'il reçoit individuellement les ministres ou les ambassadeurs.

— « BAOHEDIAN », « Palais de l'Harmonie Préservée ». Chaque année l'Empereur y offrait un grand festin auquel étaient conviés les dignitaires de l'Empire, ainsi que les vassaux mongols et d'autres ethnies.
Tous les trois ans, l'Empereur y recevait les lauréats du Concours Impérial afin de les soumettre à une dernière épreuve orale avant de les nommer à un poste important dans le gouvernement.

Les nombreux Palais de NEI-TING sont bâtis sur trois axes. Sur l'axe central se dressent trois Palais qui sont les lieux rituels réservés à l'Empereur et à l'Impératrice. Puis, dans le prolongement, le Jardin Impérial qui précède la Porte Nord du Palais, porte de sortie privée de la Cour.
De part et d'autre de cet axe central se trouvent les « 6 Palais de l'Est » et les « 6 Palais de l'Ouest », comprenant des pavillons, des galeries, des jardins et des Temples Bouddhistes ou Taoïstes, ainsi que les bureaux des gardes et les locaux où s'activent les servantes et les eunuques.

Vue plongeante sur les 3 Palais de Qian-Chao où se déroulèrent les plus importantes cérémonies des 5 derniers siècles de l'Empire Chinois

Symbole astrologique et géomancie de la Cité Interdite

C'est sous les Ming (1368-1644), que l'Empereur Yongle, dont la capitale était alors Nankin, dans le Sud de la Chine, décide de transférer sa capitale à Pékin pour raisons stratégiques.

De 1406 à 1420, les travaux de construction ont mobilisé des centaines de milliers d'artisans et d'ouvriers et, en 1421, l'Empereur des Ming inaugure son Palais Impérial et sa demeure principale de Pékin. Désormais, cinq siècles durant, la Cité Interdite sera le Centre de la Politique Chinoise où régneront les 14 Empereurs Ming et les 10 Empereurs Qing, jusqu'à Pu Yi, le dernier Empereur de Chine.

Dans cette cité qui représentait le Centre de l'Empire, tant spirituel que géographique, chaque détail concernant l'emplacement, le nom des bâtiments, couleur, forme, nombre... obéit à des critères précis du symbolisme traditionnel. Sans une compréhension, au moins rudimentaire, de ces significations, il est impossible de pénétrer l'esprit du lieu, ni même d'en faire une approche physique.

Parmi les symboles, prenons un exemple concernant la dénomination du Palais Impérial.

Sous l'Empire, le Palais Impérial de Pékin était appelé « Zi-Jin-Cheng » qui signifie « Cité Pourpre Interdite ». Le mot « Zi » - « Pourpre » - a une signification symbolique très importante. En effet « Zi » désigne ici la constellation « Zi-Yuan » qui est, selon l'astrologie chinoise, « la Constellation de l'Empereur » et l'on croyait que l'état de clarté ou l'éclipse de Zi-Yuan indiquait la puissance ou le déclin du règne de l'Empereur régnant.

Le « Pourpre », dans la tradition chinoise, est la couleur symbolisant la suprématie : un présage de destin impérial se manifesterait par l'apparition dans le ciel d'un nuage pourpre.

La dernière dynastie chinoise, Qing (1644-1911), est Mandchoue. Formant un peuple localisé au Nord-Est de la Grande Muraille, les Mandchous, après avoir conquis le trône de Chine, et pour justifier leur « Mandat du Ciel », ont répandu cette prophétie : « Le Souffle Pourpre vient de l'Est », sous-entendu « le destin voulait qu'un Empereur soit né dans l'Est ».

Ainsi, sur les linteaux de nombreux portiques de la Cité Interdite sont inscrits ces caractères « Zi-Qi-Dong-Lai » - « Le Souffle Pourpre vient de l'Est ».

Légende de la Carte du Ciel

Détail d'une carte du ciel relevant d'un livre d'Astrologie de la Chine ancienne, représentant la constellation « Cité Pourpre ». Selon cette conception, elle est l'image céleste du Trône du Souverain et de son environnement.

L'évolution de la carte du ciel tourne en fonction de l'heure : partant du haut à 1 heure, heure du Rat, puis vers la droite à 7 heures, heure du Dragon, en bas à 13 heures, heure du Cheval, et sur la gauche à 19 heures, heure du Singe, pour achever sa course à nouveau à l'heure du Rat.

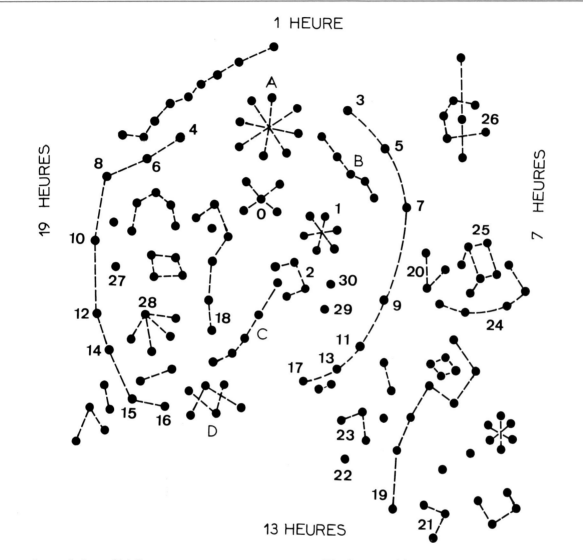

Constellation « Cité Pourpre »

O - Trône du Souverain
A - Dais
B - Hampe du Dais
C - Princes
1 - Six gardes cuirassés
2 - Quatre Instructeurs
3 - Régent Supérieur (Ministre)
4 - Régent « Jeune »
5-6 - Jeunes gardes impériaux
7-8 - Gardes impériaux supérieurs
9-10 - Jeunes assistants
11-12 - Assistants supérieurs
13-14 - Jeunes juges

15 - Juge supérieur
16 - Contrôle gauche
17 - Contrôle droit
18 - Petit chariot
19 - Grand chariot
20 - Trois maîtres
21 - Trois conseillers
22 - Général
23 - Hallebardes
24 - Génies des lettrés
25 - Gradins
26 - Huit généraux
27 - Conseillère des dames impériales
28 - Cinq secrétaires
29 - Yin — 30 - Yang

Le terrain et le plan architectural de la Cité Interdite ont été soigneusement étudiés selon les notions chinoises de la géomancie.

Depuis l'antiquité, de nombreux ouvrages concernant cette « Science Traditionnelle » furent publiés. La Géomancie est une recherche qui résume les influences conjoncturelles des astres et des courants telluriques, le cycle spatio-temporel, dit « cycle de Yin-Yang et des cinq Éléments », qui tente d'évaluer l'emprise des énergies de l'Univers, fastes ou néfastes, sur les hommes. Cela, en particulier, pour décider de l'emplacement de leur habitat, leur tombe ancestrale, leur commerce, et d'autres constructions collectives comme les ponts, les portiques d'une ville... et l'évaluation de la valeur géomantique du Palais Impérial qui aura son influence sur toute la population.

Les observations essentielles en géomancie, concernant les constructions, sont relatives à :

1. l'orientation

2. le terrain et son relief

1. L'ORIENTATION

La pensée chinoise estime que lorsqu'un homme - ou un groupe - se situe dans une position harmonieuse par rapport aux flux énergétiques de la nature, sa vie est équilibrée, sa santé et sa prospérité en bénéficient. En revanche, s'il se trouve dans une mauvaise position par rapport aux rythmes de l'Univers, sa vie sera déséquilibrée et se résumera en une lutte incessante, tant physique que mentale.

2. LE TERRAIN ET SON RELIEF

Le géomancien considère que, dans le corps de la terre, le Qi (souffle, énergie) circule en mouvements irréguliers. Là où il passe près de l'écorce terrestre, le sol est fertile, le temps clément, la végétation et les animaux sont abondants et les hommes en bénéficient. Par contre, là où le Qi s'éloigne de la surface de la terre, la vie est absente.

Les terrains trop plats, signe de l'inactivité du Qi en ces lieux, sont à éviter. Pour cette raison, lorsqu'il n'y avait pas de colline dans le périmètre d'une construction traditionnelle, on en élevait une, au Nord.

La Colline de Charbon, au Nord de la Cité Interdite, en est un exemple : non seulement elle améliore le paysage, à l'origine sans relief, et protège le Palais des vents du Nord qui apportent les courants froids de Sibérie, mais elle remédie également au défaut de configuration du terrain. La colline est créée artificiellement avec la terre tirée du creusement des fossés, autour du mur d'enceinte du Palais, afin de faire couler l'eau pour faire circuler le Qi enfoui.

Bien que le plan de la ville de Pékin soit en damier, on a évité, dans l'ordonnancement du Palais comme d'autres habitations, les enfilades de portes qui conduiraient à la déperdition de l'énergie, le Qi, en fuite. Le mur des 9 dragons ou des écrans en pierre sont placés à chaque entrée à cet effet.

De même, on peut empêcher une fuite du Qi en créant au sol des niveaux différents. Les 3 Palais surélevés destinés aux audiences, dans la Cité Interdite, illustrent cette forme d'aménagement. Entre chaque construction, un passage en pente descendante, puis remontante, rompt la monotonie de la platitude du sol, et ce trajet ondulant ramène successivement le Qi, par trois fois, vers le sommet où se dresse un trône.

Le Trône représente l'emplacement initial où se tient l'Empereur dans l'exercice de son état de « Fils du Ciel ». C'est le noyau de l'Empire. Ainsi il doit être le trait d'union entre le Ciel et la Terre : face au Sud, dos au Nord, le côté gauche s'étend à l'Est, le droit à l'Ouest.

— Le Sud : l'énergie Yang venant du zénith, l'Empereur reçoit le Souffle Vital du Soleil, symbolisé par « l'Oiseau Vermeil ». Il doit obligatoirement être adouci par un cours d'eau sous ses pieds. L'eau, élément nourricier, est ici la « Rivière aux Eaux d'Or » qui coule à l'entrée de la Porte du Midi.

— Son dos est tourné vers le Nord, d'où vient le Souffle Yin qui a la faculté d'enfouir la Vie. Aussi, le dossier du trône est-il doublé d'un grand paravent, au Nord, où se trouve également la Colline de Charbon et, plus loin encore, la protection est assurée par la Grande Muraille.

Le symbole de cette protection, au Nord, est suggéré par la carapace d'une tortue noire.

— Le côté gauche de l'Empereur est orienté à l'Est - symbolisé par un dragon bleu - où naissent le printemps et le jour. C'est le côté cœur du Souverain. Dans le Palais, c'est le quartier où sont réunis les bureaux des Affaires Civiles, dits « Palais de l'épanouissement Littéraire ».

— Sur sa droite, côté martial, la fonction de général est, dans son microcosme, représentée par l'organe « Foie ». « Le Palais des Héros Martiaux » est situé dans la partie Occidentale de la Cité Interdite. Associé à l'énergie automnale, son symbole est un tigre blanc.

— Au plafond, dans l'axe vertical du Trône, donc dans le prolongement de la tête de l'Empereur, un caisson représentant la voute céleste dans lequel est niché un dragon sculpté.

Pour atteindre le Trône, l'Empereur monte les nombreuses marches, symbolisant l'ascension d'une montagne sacrée. Il préside, ainsi, au sommet de la Montagne Sacrée du Centre, d'où émanent toutes les activités de son Empire.

Rivière aux eaux d'or

Dès que l'on pénètre par la Porte Sud du Palais, la Rivière aux Eaux d'Or, telle un arc bandé, barre le chemin. L'accès à l'intérieur est assuré par 5 ponts qui enjambent la rivière, comme 5 flèches pointées vers l'extérieur. Ces ponts sont bordés de balustrades en marbre blanc ; celui du centre, le plus long et le plus large, est orné de dragons sculptés, les autres ont un décor de flammes.

Les dignitaires venus pour l'audience devaient, dès qu'ils avaient traversé ces ponts, ajuster leur maintien en observant les exigences protocolaires car, sitôt la rivière franchie, on se trouve symboliquement devant l'Empereur en personne.

N° 9 - Portrait de l'Empereur Kang Xi

Ce portrait montre l'Empereur Kang Xi, Aisin-Gioro Xuanye, dans sa tenue d'Audience Etatique.
Troisième fils de l'Empereur Shun Zhi, Kang Xi est monté sur le trône à l'âge de 8 ans. Aidé par sa très remarquable grand-mère, la Grande Impératrice Douairière Xiao Zhuang, qui fut aussi la régente de son père, Kang Xi s'est révélé, dès sa jeunesse, être un souverain d'envergure exceptionnelle. Durant les 61 années de son règne, la Chine a connu une ère d'épanouissement dans tous les domaines : unification du territoire Chinois, développement économique, réalisation des travaux scientifiques et techniques. Il accordait également un soutien particulier à la Culture.
Réalisé par un artiste fonctionnaire de l'Académie Impériale, ce portrait présente Kang Xi dans un costume complet de Cérémonie Étatique.Quelques éléments sont spécifiquement mandchous : le chapeau, couvert de rouge, est surmonté, au centre, par une épingle verticale ornée de perles, en forme de stupa, rappelant les croyances lamaïques des mandchous ; un anneau au pouce qui, à l'origine, servait pour le tir à l'arc.

L'Audience Matinale

Les Audiences Matinales et les cérémonies les plus importantes sont célébrées dans le Palais de l'Harmonie Suprême : l'Intronisation, le Mariage de l'Empereur, le Grand Anniversaire de l'Empereur (fête décennale), le Nouvel An, le Solstice d'Hiver... A ces occasions l'Empereur présidera la cérémonie dans le Palais de l'Harmonie Suprême et recevra les hommages des hauts dignitaires civils et militaires, ainsi que des ambassadeurs étrangers.

Haut de 35 mètres, le Palais de l'Harmonie Suprême est, avec une superficie de 2 377 mètres carrés, la salle la plus spacieuse de la Cité Interdite. Réhaussé par une terrasse en marbre blanc de 7 mètres de haut, composée de 3 étages superposés et ornée de balustrades sculptées de dragons et de nuages, il domine une vaste esplanade de plus de 30 000 mètres carrés.

Dans la Salle de l'Harmonie Suprême s'élève, comme une pyramide, une estrade de 7 marches d'où s'élancent 6 colonnes dorées, ornées de dragons, qui supportent un plafond somptueusement décoré.

C'est ici, au centre symbolique de l'Empire et de l'Univers, que se dresse le Trône Impérial, finement sculpté de dragons et resplendissant d'ors. Au plafond, juste à l'aplomb du trône, est sculpté le symbole du « Fils du Ciel » : un dragon enroulé, tenant une perle géante, symbole du Pouvoir Suprême. Il est niché dans un caisson hémisphérique figurant l'Univers.

Derrière le trône se dresse un paravent géant laqué d'or et orné de dragons en relief, tandis qu'en avant se trouve une table également dorée sur laquelle sont disposés les documents officiels et le Sceau Impérial. Cet ensemble grandiose est encadré de brûle-parfum en bronze et en cloisonné, de formes variées.

Les jours de cérémonie les officiels du protocole disposent les différents éléments, selon la description du rituel, de l'extérieur vers l'intérieur du Palais : les véhicules de cortège ainsi que les éléphants de parade, richement décorés, sont placés devant la porte d'entrée, la « Porte du Midi », puis, devant la Porte de l'Harmonie Suprême, une chaise à porteurs destinée aux déplacements de l'Empereur dans le Palais. Sur la vaste esplanade qui s'étend devant la Salle de l'Harmonie Suprême, jusqu'à la Porte de l'Harmonie Suprême, sont alignés d'innombrables oriflammes, dais, éventails, bannières, armes rituelles... et, pour diriger les mouvements des dignitaires venant assister à la cérémonie, les officiels du Département de Musique mettent en place une série d'instruments. Pour exécuter les musiques les plus solennelles, les instruments rituels, qui doivent être composés de 8 matières : métal, pierre, bois, terre, soie, cuir, bambou, fruits (calebasse) ; les carillons, lithophones, cithare, orgue à bouche ou flûte..., sont répartis de part et d'autre de la Salle de l'Harmonie Suprême.

Pour les Audiences Matinales, les officiels du Département des Rites viennent d'abord disposer les différents rapports. Ceux établis par des officiels du Gouvernement Central sont déposés sur une table située dans la partie orientale de la Salle de l'Harmonie Suprême, tandis que les rapports des censeurs, des inspecteurs et des fonctionnaires provinciaux sont placés, en premier lieu, dans le Pavillon du Dragon de la Porte du Midi, pour être ensuite apportés dans la Salle de l'Audience.

Dès l'aube les princes, les ministres et les dignitaires civils et militaires, portant le costume correspondant à leur rang, sont arrivés au Palais. Les hauts dignitaires prennent leur place sur les marches ou plateformes de la terrasse, les officiels de second rang et les ambassadeurs sont alignés sur la vaste esplanade. La place de chacun,

Triple terrasse de la Salle de l'Harmonie Suprême

attribuée selon l'ordre hiérarchique, est stricte, et nul ne peut se déplacer librement.

Alors que résonnent en harmonie, à la Porte du Midi, le tambour et la cloche géants, l'Empereur, vêtu du costume de brocard « Jaune Radieux » des grandes cérémonies, arrive en chaise à porteurs jusqu'au Palais de l'Harmonie du Milieu. Ce Palais est une construction carrée, coiffée d'une toiture à 4 pentes et munie de fenêtres sur les 4 orientations. A l'intérieur, au centre, se dresse un trône. C'est ici que le Fils du Ciel se concentre avant de présider les grandes cérémonies.

Toujours en chaise à porteurs l'Empereur gagne ensuite le Palais de l'Harmonie Suprême. Tandis que l'on exécute une musique intitulée « Harmonie Resplendissante », il gravit les 7 marches qui le conduisent au trône. A cet instant un hymne éclate et tous s'agenouillent pour saluer le Souverain. Puis, dans un silence total, le Maître du Protocole proclame l'ordre du jour et lit les rapports. A l'occasion de ces cérémonies les hauts fonctionnaires peuvent avoir le privilège d'être entendus par l'Empereur, ou la malchance d'être condamnés sur-le-champ.

Lorsque l'audience est terminée, l'hymne retentit à nouveau et tous les membres de l'assemblée, qui comprend plusieurs milliers de dignitaires, se prosternent en s'agenouillant à trois reprises et en touchant de la tête 9 fois le sol. L'Empereur quitte son trône au son de la musique « Harmonie Resplendissante ». L'Audience est levée et les officiels, solennellement, se retirent hors du Palais.

Pendant les heures que dure la cérémonie, les dignitaires, qui se tiennent debout sur l'esplanade, n'auront pas le privilège de voir l'Empereur, excepté ceux qui, pour une raison particulière, seront convoqués. Ils pourront alors pénétrer dans la Salle de l'Harmonie Suprême et se présenter en face du Fils du Ciel mais garder toujours les yeux baissés, conformément à l'exigence protocolaire.

N° 1 - L'ensemble du trône comprend :
paravent, trône, consoles, brûle-parfum, éventails, réchauds...

1 (1) - Paravent.
Époque Qian Long.
Placé derrière le trône, ce paravent majestueux est composé de trois panneaux. Une scène de l'étang de lotus décore toute la surface, encadrée par une bordure laquée rouge et noire à motifs de dragons et nuages. A en juger par le style raffiné, les décors gracieux, ce mobilier pourrait être de fabrication d'un atelier de la ville de Souzhou.

1 (2) - Trône.
Époque Qian Long.
Trône en bois laqué rouge et noir, orné sur le dossier d'une scène incrustée de lotus et d'hirondelles taillés dans du jade bleu ou blanc, en relief sur un fond jaune pâle. Cette scène est chargée d'une symbolique par les couleurs et par homonymie, exprimant le souhait du régnant : « que les fleuves et la mer soient calmes et limpides », ce qui sous-entend : « que le pays soit en paix et sans troubles ».

1 (3) - Devant le trône, un repose-pieds, également laqué rouge et noir, orné de motifs géométriques symbolisant « l'Éternité ».

1 (4) - Consoles
Époque Qian Long 1736-1795
Ces consoles à dessus rond, montées sur quatre longs pieds, d'un style tout en douceur souligné par des lignes courbes, sont destinées à supporter des brûle-parfum. En bois laqué rouge et noir elles sont ornées de motifs floraux et incrustées de jade.

1 (5) - Brûle-parfum en forme de lions.
Époque Qian Long 1736-1795
De bronze cloisonné, ces brûle-parfum en forme de lions stylisés sont munis, sur le dos, d'un couvercle permettant d'introduire de l'encens dans le corps. En se consumant, l'encens dégage une fumée qui sort par la bouche ouverte de l'animal.

1 (6) - Brûle-parfum cylindriques.
Époque Qian Long 1736-1795
Ces cylindres de jade vert sont, chacun, taillés dans trois pièces assemblées en colonne. Le décor de dragons et nuages est sculpté en bas-relief. Le centre du cylindre est creux, permettant le passage de la fumée. Chaque colonne est érigée sur un socle en forme de terrasse hexagonale et coiffée d'une pagode à deux étages en bronze doré.

1 (7) - Cigognes brûle-parfum
Milieu des Qing 1736-1820
Réalisées en bronze-cloisonné, ces cigognes blanches aux ailes noires et à crête rouge sont, dans la tradition chinoise, symbole d'immortalité. Le corps creux reçoit l'encens qui fume en se consumant. La fumée s'échappe par le bec de l'oiseau.

1 (8) - Réchaud à charbon en cloisonné.
Milieu des Qing 1736-1820
De forme carrée, évasée vers le haut, ce réchaud à charbon est coiffé d'un couvercle à motifs ciselés de dragons et nuages ajourés, permettant le dégagement de la chaleur. Il repose sur 4 têtes humaines à cornes de bélier formant pieds.

1 (9) - Éventails du Palais sur hampe.
Époque Qian Long 1736-1795
Ils font partie des accessoires des cérémonies impériales. Couleurs et motifs indiquent leur usage impérial : les éventails sont faits de plumes de paons peintes sur soie. Ils sont montés sur de longues hampes de bois laqué rouge et or, fixées sur des socles en forme d'éléphants portant un vase, signe caché et symbolique du vœu : « Paix ».

1 (10) - Tapis « Jaune-Radieux » floral, à six bandes.
Milieu des Qing 1736-1820
Sur fond jaune se détachent, en symétrie, des motifs de fleurs et de fruits, des dessins géométriques, dans une gamme de rouge, violet, orange et bleu. Ce tapis, bordé de 6 bandes à décors différents, complète l'ensemble du trône et en réhausse l'ambiance somptueuse.

Instruments de Musique Rituelle et Étatique

En 2 200 avant notre ère, YU le Grand, Souverain de la dynastie des Xia, mobilise le pays tout entier pour dompter l'inondation du Fleuve Jaune. Il y parvient avec succès en faisant creuser 9 canaux traversant la Chine dans 9 directions. Il célèbre alors cet événement par une grande fête de réjouissance à laquelle participe toute la population. A cette occasion il fait composer le premier hymne, le « Jin-Zhao » en 9 couplets, et fixe une règle pour exécuter cette première musique de caractère étatique et rituel, l'orchestre est composé d'instruments de sonorités qui sont l'expression de 8 matières différentes : or (métal), pierre, soie (cordes), bambou, calebasse (fruit), terre (argile cuite), cuir et bois.

Depuis cette époque jusqu'à la fin de l'Empire (1911), ce choix est devenu un critère de la Musique Étatique, l'orchestre rituel de la Cour étant impérativement formé d'instruments aux « 8 sons » au complet.

Les 4 pièces présentées ici sont les plus importantes de cette série orchestrale. Elles sont indispensables pour les cérémonies de l'Audience Matinale, l'Intronisation, le Grand Mariage, l'Anniversaire décennal de l'Empereur, ou d'autres événements d'État importants, à caractère civil.

— La grande cloche, « BO », est l'instrument que l'on frappe pour l'ouverture de la partie musicale. Il existe 12 « BO », de sonorités différentes, qui sont utilisés dans les cérémonies de chacun des 12 mois de l'Année.

— Le grand lithophone, « TA-QING », marque la fin de la musique. Il y en a également 12 différents pour les 12 mois.

— « BIAN ZHONG », le carillon à 16 cloches de même taille mais dont l'épaisseur varie, produisant ainsi des sonorités différentes. Ces cloches sont en bronze doré. Sur la partie bombée de chacune d'elles sont figurés en bas-relief des signes de « 8 trigrammes », sur le bord, 6 médaillons marquent l'emplacement à frapper.

Ces 16 cloches donnent une gamme complète de 12 notes principales et 4 notes intervalles dans les graves.

La musique chinoise ancienne distingue les sonorités en notes de caractère « Yang », masculin, et « Yin », féminin. Les 8 cloches de sons Yang sont accrochées sur le rang supérieur, les 8 de sons Yin, forment le rang inférieur.

Deux caractères inscrits sur chaque cloche indiquent sa sonorité.

— « BIAN QIN » est un lithophone formé de 16 pierres sonores. Chaque pierre, de taille différente, produit lorsqu'on la frappe, un son particulier, l'ensemble formant une gamme de 16 sons. Son système musical est identique à celui de « BIAN ZHONG ».

N° 2
Sceau de Qian Long en jade émeraude
Le Sceau porte l'inscription « Le Trésor de l'Empereur Suprême » en deux graphies différentes : écritures Han et Mandchoue, dans un style archaïque. Ce Sceau de grande taille a été réalisé après 60 années de règne de Qian Long, lorsqu'il eut déclaré officiellement qu'il laissait le trône à son fils (le 1er janvier 1796). Il se retire et devient alors « Empereur Suprême ». En fait il continuera de régner, dans les coulisses, jusqu'à sa mort en 1799. Son règne aura, en réalité, duré 63 ans et 4 mois.

N° 3
Sceau en argent doré de la Noble Concubine XUN
La Noble Concubine Xun est issue de la famille mandchoue ARODE, la même origine que l'Impératrice Xiao Ze, épouse de l'Empereur Tong Ze.
Suivant la loi des Qing, au moment de la nomination d'une Noble Concubine, l'Empereur lui octroie un sceau officiel et un livret en bronze doré portant le texte de nomination gravé en deux langues : chinois et mandchou.

N° 4
Coffre pour les Sceaux
Cette boîte laquée multicolore, réhaussée de filets d'or, a pour objet la conservation des sceaux. Les principaux motifs de décoration sont les dragons, phénix et lotus.

N° 5
Livret en plaques de bronze doré de la Noble Concubine Impériale Quan Kan
Livret de nomination de la Noble Concubine Impériale Duan Kang, formé de 10 plaques. Le texte est en deux langues : chinois et mandchou.
C'est durant la 14e année de règne de l'Empereur Guang Xu qu'elle est sélectionnée à titre de « Pin » - épouse de 6e rang de l'Empereur. Six ans après elle est promue au rang de « Fei » - 3e rang, mais subit aussitôt une mesure de disgrâce qui la rabaisse au 4e rang, soit « Guiren », à cause de sa sœur « Zhun Fei », favorite de l'Empereur, qui commit l'erreur d'offenser l'Impératrice Douairière Ci Xi. Après la mort de l'Empereur Guang Xu et de l'Impératrice Douairière Ci Xi elle devient elle-même Impératrice Douairière et Régente de l'Empereur Pu Yi qui était encore un enfant en bas-âge (monté sur le trône à 3 ans), après avoir été honorée, à la 5e année de règne de Pu Yi, du titre de Noble Concubine Impériale Douairière.

N° 6
Robe d'Audience Matinale de l'Impératrice
Le costume rituel de l'Impératrice comprend une robe et un gilet.

— La robe, à fermeture à droite, est en « Jaune Radieux » pour les Grandes Audiences, avec un collet et des manchettes bleues. Elle est ornée de Dragons d'Or.

— Le gilet, bleu, est aussi long que la robe mais il est ouvert au milieu, du haut en bas.

La Grande Cérémonie rituelle, présidée par l'Impératrice, seule, sans la présence de l'Empereur, est celle qui est célébrée au « Temple du Vers à Soie », chaque année, au 3e mois. Elle débute par une offrande au Temple de « l'Ancêtre du Vers à Soie » qui serait l'épouse de l'Empereur Jaune, des temps mythiques. Selon d'autres sources, elle serait « la Dame à tête de Cheval ».

La veille de la Cérémonie, l'Impératrice procède à l'inspection des outils de la « Cueillette des feuilles de Mûrier » dans le Palais du « Croisement du Ciel et de la Terre ». Puis, on dépose ces outils dans des kiosques-palanquins. Escortée d'un important cortège, l'Impératrice part, accompagnée des concubines, des princesses, des femmes de mandarins, des maîtres de cérémonie, de 46 femmes-officiers et des femmes qui pratiquent l'élevage des vers à soie, pour se rendre jusqu'au Temple au son de la musique.

Le lendemain, la Cérémonie dure toute la journée.
Le 3e jour, l'Impératrice procède à la cueillette de feuilles de Mûrier en compagnie de 2 concubines, 3 princesses, 4 épouses de mandarins, assistées de femmes professionnelles.
L'opération se déroule dans le Champ des Mûriers. C'est un véritable spectacle, avec décor vivant, composé de gardes porteurs d'accessoires protocolaires - dais impérial, bannières multicolores - rangés autour du champ, tandis que les musiciens et les chanteurs ouvrent la séance. Le déplacement et les gestes des cueilleuses, en costumes somp-

tueux, sont rythmés par le chef d'orchestre qui frappe des plaques d'or.
Alors l'Impératrice, tenant un crochet en or et un panier, procède à la cueillette (ce jour-là son costume est bleu, doublé de « blancheur de Lune »). Les concubines et les princesses ont des crochets en argent. Les cueilleuses professionnelles sont vêtues de robes de coton bleu et ont des crochets de fer.
L'Impératrice, suivie de 2 cueilleuses professionnelles fait la cueillette en commençant par le 1er mûrier côté Est, puis le 1er côté Ouest, faisant 3 aller et retour, pendant que le chant s'achève. Elle monte ensuite s'asseoir sur l'estrade et observe les concubines et les princesses qui poursuivent la cueillette.
Les feuilles cueillies sont rassemblées dans une salle, coupées puis éparpillées dans les paniers de vers à soie. Les vers vivent environ 27 jours, mangeant et dormant, puis font leur cocon. L'Impératrice revient alors avec son entourage pour participer, symboliquement, au travail de préparation des cocons de soie.
En dernier lieu, la soie est tirée et l'Impératrice indique la couleur dans laquelle elle sera teinte. Toute cette production est destinée uniquement aux offrandes du Temple.

N° 7
Gilet de cérémonie d'une Impératrice, en Kossu
En soie bleue, ce gilet fait partie du costume complet de cérémonie, porté par une Impératrice.

Coupe : sans manches et à col rond, il est boutonné sur le devant et ouvert sur le pan arrière. Le décor est composé de dragons, nuages, de caractères de longévité en médaillons et de chauve-souris avec svastika.
Porté sur la robe en kossu « jaune radieux », cet ensemble est destiné à l'Impératrice qui le revêt à l'occasion des Grandes Audiences d'hiver. Il est parmi les costumes les plus prestigieux et on apporte un grand soin quant à sa façon et à la sélection des tissus.
Le « kossu » est un art du tissage particulier, propre à la tradition chinoise.

N° 6-7
Robe et gilet d'Audience Matinale de l'Impératrice

N° 8
Chao-Pao : Robe de l'Empereur pour l'Audience d'État
Taillée dans une gaze de couleur « Jaune Radieux »,
cette robe, brodée de fils d'or et de soies multicolores,
est un costume de cérémonie d'été porté par
l'Empereur.

Costumes rituels des Empereurs de Chine

Devenus maîtres suprêmes de la Chine, les Mandchous prennent conscience du danger qu'ils courent d'être assimilés par les Chinois (Han), comme cela s'était produit pour tous les autres conquérants-cavaliers, originaires des steppes, qui avaient fondé leurs dynasties en Chine : Xi-Wei (dynastie turco-mongole), Yuan (mongole), Jin (Jürchen)...

Ainsi les Empereurs des Qing se sont-ils attachés à renforcer les divers attributs de leur tradition mandchoue. Outre de grands efforts déployés pour conserver leur langue et leur écriture (tout en étudiant celles des Han-Chinois), ils ont remplacé les tuniques amples des costumes de la Cour des Ming par la mode des steppes : veste ajustée, manches en forme de sabot, jupe fendue latéralement qui se porte avec des bottes et le chapeau des cavaliers mandchous. Mais, si la coupe a subi de grandes modifications, les motifs symboliques qui parent les costumes de la Cour sont, néanmoins, une copie de la tradition chinoise :

— un dragon de face, en position stable au milieu du buste, symbolise l'Ordre Impérial.

— les dragons en mouvement, figurés de profil, disputant une perle en flammes, symbole de pouvoir, rappellent le dynamisme en guerre.

On représente également les « 12 motifs » traditionnels de la Chine antique créés à l'époque néolithique, il y a 4 500 ans, par le Sage-Souverain SHUN. « Ceci », aurait dit le souverain antique, « dénote les connaissances que nous devons posséder pour bien régner: la montagne évoque la constance et la stabilité ; le dragon symbolise la vigilance. La combativité du faisan nous inspire le courage du guerrier ; les coupes rituelles que nous avons l'habitude de voir dans le Temple des Ancêtres sont des symboles de pureté et de désintéressement ; la flamme symbolise le zèle et l'amour pour la vertu ; le riz, ce que nous devons procurer abondamment à notre peuple ; les algues, respecter l'équilibre des espaces d'eau, et la hache est le symbole de la justice. Ainsi, reprenait le souverain, « ces motifs figurent sur nos vêtements comme une vivante mémoire des vertus que nous devons graver dans notre cœur ».

Outre ces symboles, on représente aussi des nuages, des fleuves et des montagnes qui évoquent les éléments vitaux de l'Univers et indiquent l'étendue des pouvoirs que possède le porteur de ce costume.

La confection des costumes de la Cour des Qing est confiée aux ateliers de trois villes : Souzhou, Hanzhou et Jianning.

---

10 - Portrait de l'Empereur Qian Long

Exécuté par les artistes fonctionnaires de l'Académie Impériale, ce portrait, représentant l'Empereur dans son costume d'Audience Étatique, marque une certaine influence de la peinture occidentale, dans le modelage du visage.

Qian Long est son nom de règne. Son nom de famille est, comme pour tous les Empereurs des Qing, AISIN GIORO; HONGLI est son prénom.

Quatrième fils de l'Empereur Yong Zhen, il est monté sur le trône à l'âge de 25 ans, après la mort de son père. Cette époque marque l'apogée de la dynastie des Qing. En effet, Qing a connu trois grands Empereurs : KANG XI, YONG ZHEN et QIAN LONG, respectivement grand-père, père et fils.

Qian Long, que les Jésuites au service de sa Cour ont comparé à Louis XIV, le Roi Soleil, est certainement un des souverains de l'histoire chinoise qui ait joui au maximum de ses privilèges. Il était alors comblé de 3 grandes félicités enviées de tous les chinois :

— La Prospérité : l'État sur lequel il règne est en paix, et il a de nombreux descendants.

— La Fortune : Qian Long est l'Empereur le plus riche de la dynastie des Qing, et ses vassaux des lointaines frontières lui offrent des tributs d'une valeur inestimable.

— La Longévité : Qian Long a vécu 89 ans et, toute sa vie durant, bénéficié d'une santé physique et mentale exceptionnelles.

Qian Long a bénéficié des fruits des efforts des deux générations précédentes et, sous son règne, la prospérité de la Chine lui permet de développer les Arts et la Culture dans un enthousiasme général. La grande ouverture d'esprit du souverain a permis à la Chine d'assimiler, dans les domaines des Sciences et des Arts, beaucoup de connaissances positives de l'Occident.

Qian Long a régné pendant 60 ans. En 1795, à l'âge de 86 ans, il décide de se retirer et cède le trône à son fils JIA QING.

Il existe, pour l'Empereur des Qing,
4 catégories de costumes classés selon leur
usage :
— 1. Chao-Fu : Costumes rituels
— 2. Ji-Fu : Costumes de fêtes
— 3. Xing-Fu : Costumes de voyage
— 4. Chang-Fu : vêtements de tous les jours.

C'est le Département des Rites du
Gouvernement qui fixe les critères des
costumes, jusque dans les moindres détails. La
distinction essentielle entre ces 4 groupes
d'habits réside dans leur coupe :

— La coupe des Chao-Fu est en deux parties :
veste et jupe, mais en un seul tenant. Ils se
singularisent par leur couleur :
— En Jaune Radieux pour l'Audience Etatique
— En Bleu pour les offrandes au Temple du
Ciel et au Temple de l'Agriculture
— En Rouge pour le Temple du Soleil
— En Blanc pour le Temple de la Lune.

— Le Ji-Fu, appelé aussi « Robe de Dragon »
(Longpao) est une tunique de coupe droite.
L'Empereur le porte pour les réceptions.

— Le Xing-Fu est une veste-manteau trois-
quarts, aux manches larges, mi-longues, et qui
se boutonne devant.

— C'est dans le Chang-Fu, vêtement usuel,
qu'il y a le plus de variétés. Mais la mode ne
doit pas s'écarter de la tradition mandchoue, à
l'inverse de certains portraits fantaisistes
montrant l'Empereur Yong Zhen en costume
occidental, ou Qian Long en lettré chinois.

CHAOZHU : collier rituel.

Ce type de collier, appelé « collier de mandarin » par les Occidentaux, est un élément obligé du costume rituel sous la dynastie des
Qing. Il est réservé à l'usage de la classe régnante, de l'Empereur
jusqu'aux dignitaires du corps civil de 5e grade, et guerrier du 4e
grade (le corps des fonctionnaires du gouvernement comporte 9
grades).

Le port de ce collier est ainsi regardé comme un signe de distinction
pour classer les gens dans les grandes assemblées, et les
personnes n'ayant pas droit au port de ce collier se sentent plus
ou moins frustrées.

La qualité et la couleur du collier varient selon le rang. En premier
lieu par la couleur des cordons de soie qui relient les perles: les
cordons de couleur « Jaune Radieux » sont réservés à l'usage de
l'Empereur, l'Impératrice, l'Impératrice Douairière, la Noble
Concubine Impériale, le prince héritier et son épouse officielle.

Les cordons couleur or, seconds dans l'ordre distinctif, sont pour
les colliers des autres princes, princesses, et des concubines
impériales au-dessus du 4e rang. Les autres dignitaires doivent
utiliser des cordons bleu turquoise.

Il existe différentes catégories de perles classées hiérarchiquement
selon leur matière. Seuls l'Empereur, l'Impératrice et l'Impératrice
Douairière ont le droit de porter les colliers rituels en perles fines.
Ils les portent à l'occasion des audiences étatiques avec deux autres
colliers faits d'autres matières.

Mais, lors des Offrandes au Ciel, le collier de l'Empereur sera en
perles de turquoise, pour vénérer la Terre il sera en perles d'ambre,
en corail pour se rendre au Temple du Soleil et en malachite pour
le Temple de la Lune.

L'Impératrice porte également trois colliers pour les audiences : un
en perles fines et deux en corail. Les autres épouses de l'Empereur
ne sont pas autorisées à porter les colliers de corail et d'ambre.

A l'origine, les Mandchous ont subi une forte influence de leurs
voisins des steppes, les Mongols. Comme eux, les Empereurs des
Qing -Mandchous sont de fervents bouddhistes et leur collier de
cérémonie, inspiré du chapelet bouddhique, porte l'expression de
leur croyance.

Il est formé de 108 perles, symbole numérique de la prière
bouddhique pour l'élimination des 108 désirs impurs. Le collier est
divisé en 4 sections de 27 perles séparées par une boule appelée
« Tête du Bouddha ». Celle qui se place au milieu de la nuque est
prolongée par un pendentif nommé « Nuage dorsal », composé d'un
médaillon, au centre, suggérant un « Miroir », et d'un stupa
miniature en matière précieuse à l'extrémité, relié par un cordon
de soie. Trois autres pendentifs nommés « Souvenirs », plus courts,
formés chacun de 10 perles sont ainsi disposés: pour les hommes,
deux sont placés devant l'épaule gauche et un à droite ; pour les
femmes c'est inversé : un pendentif à gauche et deux à droite.

Il existe une autre explication qui s'attache à l'expression numérique
de ce collier: il correspond au cycle annuel du calendrier chinois
qui divise l'année en un cycle lunaire de 12 mois, doublé d'un cycle
solaire de 24 périodes et 72 changements atmosphériques.
L'addition de ces nombres est 108. Les 4 sections du collier seraient
l'expression des 4 saisons et les 10 perles des trois « Souvenirs »
seraient la représentation des jours des trois décades du mois.

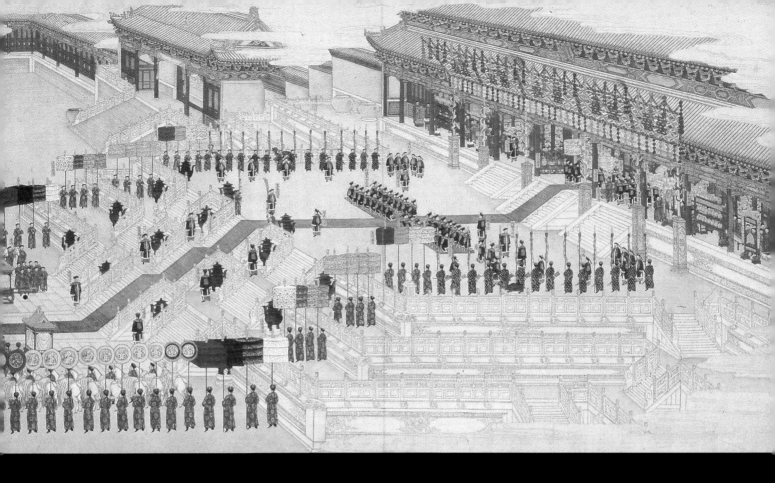

Grand Mariage

Le grand cortège aligné devant le « Palais de l'Harmonie Suprême » à l'occasion du Mariage de l'Empereur GUANG XU.

Réalisation collective de l'Académie Impériale de Peinture.

Ce genre de tableau est une sorte de registre des grands événements, il ne porte pas de signature.

LE GRAND MARIAGE

Le mariage de l'Empereur, appelé Grand Mariage, est un événement important de l'État. C'est à cette occasion que l'on couronne l'Impératrice si l'Empereur, jeune, n'a pas encore son épouse officielle.

La dynastie des Qing (1644-1911) a connu le règne de 10 empereurs, mais le Grand Mariage n'a été célébré qu'à quatre occasions, pour les Empereurs Shun Zhi (1644-1661), Kang Xi (1662-1722), Tong Zhi (1862-1874) et Guang Xu (1875-1908) qui, étant montés sur le trône alors qu'ils étaient en bas-âge, ont régné sous la tutelle d'un régent. A leur majorité, chacun d'eux choisit son Impératrice et célébra l'événement du Grand Mariage, ainsi que la prise en main de son règne et la destitution du pouvoir du régent. Les cinq autres Empereurs, Yong Zheng (1723-1735), Qian Long (1736-1795), Jia Qing (1796-1820), Dao Guang (1821-1850) et Xian Feng (1851-1861), intronisés à l'âge adulte, avaient déjà une épouse officielle. Dans ces conditions il n'y eut pas de cérémonie de Grand Mariage mais seulement l'acte de couronnement de l'Impératrice.

Pu Yi, le dernier Empereur de la dynastie des Qing sur le déclin, n'avait que trois ans lorsqu'il fut intronisé et, trois ans plus tard, la Chine devenait une République. Malgré tout, la tolérance du gouvernement républicain lui permit de célébrer son mariage en grande pompe.

Le choix de la future Impératrice était souvent dicté par l'Impératrice Douairière et approuvé par l'Empereur lui-même. Sous les Qing, l'Impératrice était obligatoirement issue d'une famille de l'aristocratie mandchoue ou mongole, appartenant à l'une des Huit Bannières, c'est-à-dire descendant des guerriers ayant participé à la conquête et contribué à la fondation de la dynastie des Qing.

Parmi les quatre Grands Mariages des Empereurs de la dynastie des Qing, deux sont célébrés sous la présidence de l'Impératrice Douairière Ci Xi: celui de l'Empereur Tong Zhi (1862-1874), son propre fils, et celui de l'Empereur Guang Xu (1875-1908), successeur de Tong Zhi, qui a régné sous la tutelle de Ci Xi.

Le mariage de l'Empereur Tong Zhi

Tong Zhi, devenu Empereur à l'âge de 6 ans après la mort précoce de son père, l'Empereur Xian Feng (1851-1861), régna sous la tutelle de ses deux mères: la mère officielle, l'Impératrice Douairière Ci An, du Palais de l'Est, épouse principale de l'Empereur défunt, et sa vraie mère, l'Impératrice Douairière Ci Xi, du Palais de l'Ouest, seconde épouse de feu l'Empereur.

Malgré la prééminence du rôle d'épouse principale, la Chine entière savait que les décisions des affaires d'état étaient prises par Ci Xi. Or, le mariage d'un Empereur est une Affaire d'État.

Lorsque l'Empereur Tong Zhi atteint l'âge de 17 ans toute la Cour ainsi que la population, attendent la nomination d'une future Impératrice : une jeune souveraine qui partagerait le règne avec l'Empereur qui sera enfin adulte et prendra sous sa responsabilité le destin de la Chine. Le choix de la candidate doit être fixé au début du printemps et le Grand Mariage célébré en automne.

Ce mariage signifie, pour les deux Impératrices Douairières qui assument la régence depuis plus de dix ans, leur démission de tout pouvoir politique. Ci An et Ci Xi ne voient pas l'avenir de la même manière.

Ci An, de nature douce, aime tendrement l'Empereur-enfant, comme s'il était son propre fils. Elle souhaite son bonheur et n'attendait que ce jour où Tong Zhi assurerait enfin son règne comme un Empereur digne de ce nom.

Le sentiment de Ci Xi est beaucoup plus complexe. L'Empereur Tong Zhi est son propre fils et elle l'aime. C'est grâce à ce fils qu'elle a

atteint le sommet du pouvoir, en tant que régente. Maintenant, il va bientôt exercer effectivement son règne et partager le pouvoir avec la future Impératrice. Ceci signifie, pour Ci Xi, le retrait et l'abandon de toute ambition, comme on l'exige des vieilles Impératrices Douairières, alors qu'elle n'a que 39 ans et ne peut se résigner à ce destin grisonnant. Le seul remède à cela est de choisir une future Impératrice de caractère docile, qui agirait selon ses conseils.

De son côté l'Empereur à marier, qui n'est plus un enfant - mais pas vraiment un adulte - est troublé par toute cette excitation qui l'environne, et dont il est le principal concerné, et ne parvient pas à se former une opinion sur ce que doit être son choix propre. Il demande alors conseil à la princesse Rong Shou, la cousine qu'il considère comme sa grande sœur, sur la candidature de l'Impératrice. Embarrassée, car ne souhaitant pas être mêlée à une décision de cette importance, la sage princesse se voit pourtant obligée de venir au secours de son jeune frère perplexe. Elle cite alors le proverbe bien connu: « le critère pour le choix d'une épouse officielle est la Sagesse, tandis que l'on choisit des concubines pour leur beauté. »

Concours pour une Impératrice

La sélection d'une future Impératrice exige une gigantesque organisation. Il faut, tout d'abord, recenser le nom des jeunes filles des familles des Huit Bannières à travers la Chine entière. Puis, l'éliminatoire s'effectue en de nombreuses étapes, prenant en compte la vertu de la famille et les mérites des ancêtres, plus particulièrement ceux des pères, la sagesse et la beauté de la jeune fille. Après de nombreux examens des candidates, dix seront retenues pour le choix final. Elles seront présentées devant l'Empereur en personne et les deux Impératrices Douairières. Parmi les dix, quatre seront choisies pour devenir les épouses de l'Empereur: une Impératrice de Chine, une Concubine Impériale et deux concubines secondaires.

Le deuxième jour du deuxième mois lunaire, jour de fête symbolisé par le « Dragon qui dresse la tête », on procède à la sélection finale de la future Impératrice. Ce jour-là le Palais Intérieur est en fête, les dames de l'aristocratie sont toutes invitées à y participer.

La cérémonie se déroule dans la partie septentrionale de la Cité Interdite, dans les pavillons du Jardin Impérial.

Lorsque sonne l'heure du Dragon (« heure du Dragon »: de 7 heures à 9 heures), l'Empereur Tong Zhi et les deux Impératrices Douairières font leur apparition dans le Qin-an gong, le « Palais de la Paix Respectée », escortés par les dames de la grande noblesse. En tête de ces dames se trouve l'épouse du Roi Dun, frère de l'Empereur défunt. Les Impératrices Douairières prennent place sur les trônes placés au centre. Devant elles, une table est dressée, couverte d'une nappe de brocart jaune, où sont disposés un plateau d'argent contenant dix lamelles de bois laqué sur lesquelles sont inscrits les noms des candidates, un sceptre en jade et une paire de bourses brodées, en satin rouge.

L'Empereur prend place sur un troisième trône, placé à l'Est de la table.

Le jury suprême, ainsi composé, est en place pour la sélection de l'Impératrice et des trois premières concubines de l'Empereur.

Les officiels de la Chancellerie viennent présenter leurs hommages aux souverains puis reçoivent l'ordre de présenter les dix candidates qui attendaient, depuis l'aube, dans le pavillon de la Porte Nord, la Porte de la Divinité Martiale de la Cité Interdite.

Sous la conduite des officiels, les dix candidates présentent leurs salutations les plus solennelles au jury suprême. Ce sont les filles les plus remarquables de l'aristocratie de l'Empire. Elles se distinguent par leur beauté, la noblesse de leur allure et l'aisance qu'elles manifestent dans cette situation impressionnante. Elles se prosternent d'une manière élégante, digne et réservée, puis s'alignent sur deux rangs, selon le grade de leur père, à la place qui leur a été désignée la veille lors de la répétition qu'elles ont faite sous la direction du Maître du Protocole du Palais Impérial.

La sélection se fait en deux étapes. Au cours de la première séance, on retient quatre candidates parmi les dix. Toutes quatre resteront désormais dans ce monde à part qu'est le Palais Impérial. Elles jouiront d'une vie au sommet du luxe, mais seront séparées des leurs. Même leurs propres père et mère seront devenus des « inférieurs » et seront tenus de se prosterner devant elles.

Les candidates éliminées retourneront dans leur famille. Elles seront probablement déçues de voir leur rêve impérial brisé, mais elles trouveront le bonheur dans une vie normale et libre de toutes les contraintes du harem.

La décision concernant cette avant-dernière sélection appartient aux deux Impératrices Douairières. Sans hâte, Ci Xi prend, l'une après l'autre, les lamelles portant le nom des candidates et les lit à Ci An. Les deux belles-mères se concertent puis Ci Xi retourne les lamelles portant le nom des candidates éliminées.

Voici la liste des élues :

— Mademoiselle Haroutte, fille d'un général, dignitaire de 2e rang. (Le Corps des fonctionnaires d'Etat comporte 9 grades, ou rangs, pour les civils comme pour les militaires. Le 1er grade, le plus élevé, attribué au Zai-Xiang, correspond à la fonction de Ministre). Des dix candidates, c'est elle qui occupe le rang familial le plus élevé. Elle porte une robe mauve qui accentue son air mélancolique, peut-être parce qu'elle est consciente de n'être pas faite pour ce monde du Palais, monde d'intrigues et de luttes de pouvoir.

— Mademoiselle Hassali, fille d'un préfet. D'une beauté éclatante, lumineuse comme la pleine lune, elle est vêtue d'une robe de satin blanc brodée de fleurs de pivoines, dont les manches et le col sont garnis de vison. C'est la plus belle des dix filles, et l'Empereur est comme fasciné, n'arrivant pas à en détacher son regard. Retenant son sourire, elle baisse les yeux, se rappelant la recommandation de ses parents de rester impassible pour ne pas avoir un aspect frivole.

— Mademoiselle Foucha, adorable gamine de 14 ans. Son visage, rond comme une lune pleine, exprime la pureté d'un ange. Son père, Fengxiu, attaché au Ministère de la Loi, officiel de 5e grade, appartient à l'aristocratie mandchoue de la Bannière Jaune. Plusieurs Impératrices des Qing étaient issues de cette famille. C'est la candidate de l'Impératrice Douairière Ci Xi. Sa sympathie est née de la beauté naive de cette fille qui, pense-t-elle, sera une belle-fille facile à manipuler. Mais, aux yeux de l'Impératrice Douairière Ci An, et de l'Empereur lui-même, elle ne pourrait jamais assumer le rôle réel d'une Impératrice, qui doit être « la Mère de l'Empire ».

— *La quatrième jeune-fille, issue également de la famille Haroutte, est la nièce de la première candidate. Son père, Zhongqi, est un lettré mongol qui a obtenu, exceptionnellement, le premier prix de littérature d'un concours Impérial pour le recrutement de hauts fonctionnaires. Habituellement, seuls les lettrés Han peuvent prétendre être suffisamment savants pour décrocher les places de lauréats de ce concours.*

Cette jeune-fille de 19 ans a une allure de dignité. Influencée par son père, elle a acquis une connaissance de lettré. Bien qu'elle ne soit pas très belle, sa sérénité inspire la confiance et exprime une richesse de l'esprit. Elle est tout à fait conforme à l'image que l'opinion publique attend d'une Impératrice. Déjà, les clans mongols misent tous leurs espoirs sur elle car une nouvelle Impératrice représente l'ascension d'un nouveau clan. Si elle est élue, tous les Mongols partageront sa gloire.

Mais les adversaires cherchent, dès maintenant, à lui nuire pour diminuer ses chances: dans la capitale on parle de l'horoscope de cette jeune candidate. On dit: « cette demoiselle est du signe du « Tigre », qui s'oppose défavorablement au signe de l'Impératrice Douairière Ci Xi qui est le « Mouton ». Si elle était élue, la relation future entre belle-mère et belle-fille illustrerait le proverbe « le mouton dans la gueule du tigre ». (Les Chinois traditionnels croient que les rapports humains sont influencés par leurs signes astrologiques. Ainsi, certaines rencontres engendrent le bonheur, d'autres, le contraire ou encore sont indifférentes. Le désaccord entre deux signes créerait une lutte perpétuelle entre deux personnes qui les représentent). De bouche à oreille cette rumeur parvient jusqu'à Ci Xi qui, superstitieuse de nature, ne peut être indifférente à cette mauvaise allusion. Elle se crispe déjà devant la

jeune mongole et une méfiance agressive germe dans son cœur.

Au contraire, l'Impératrice Douairière Ci An, qui souhaite choisir une belle-fille qui soit capable de règner comme une vraie souveraine, a beaucoup de sympathie pour cette fille pleine d'assurance. L'Empereur, lui-même, conscient de sa propre incompétence pour porter la lourde charge de l'État, aimerait bien avoir une épouse-grande-sœur qui le guiderait dans les grandes décisions.

Les deux Impératrices Douairières se retirèrent pour se concerter.

« Grande-sœur » dit Ci Xi à Ci An, « je propose la jeune Foucha comme future Impératrice. Elle me donne une impression d'honnêteté et sa physionomie révèle une personne qui a un avenir de grande prospérité... » « Non! Elle est trop jeune » dit Ci An qui, d'habitude sans opinion, parle d'un ton tranchant. « L'Empereur a le défaut d'être enfantin. Si on lui donne une Impératrice de 14 ans, cela revient à confier le destin de la Chine aux mains de deux enfants. Ce n'est pas sérieux. Il faut choisir une Impératrice douée de sagesse. La candidate la mieux appropriée est la fille de Zhongqi ».

Interdite, Ci Xi ne trouve pourtant pas de mots pour la contredire. Le mauvais présage du « mouton dans la gueule du tigre » lui revient à l'esprit, mais ce n'est pas une raison valable pour décliner la candidature (car, si la tradition insiste sur l'harmonisation des signes astrologiques de deux époux, elle n'en tient pas compte entre belle-mère et belle-fille). Ci Xi se tourne alors vers l'Empereur, son fils: « Nous avons retenu, pour le choix final de l'Impératrice, deux candidates :

Mademoiselle Foucha, fille de Fenxian, et Mademoiselle Haroutte, fille de Zhongqi. La décision finale t'appartient. Mais sache que notre dynastie des Qing, fondée par les Mandchous, n'a jamais choisi une Mongole comme Impératrice ».

Les trois membres du jury reprennent alors leur place. A la surprise et l'indignation de Ci Xi, son fils n'a pas tenu compte de sa recommandation et donne le sceptre de jade, insigne de l'Impératrice, à la fille de Zhongqi, la jeune Mongole.

Voici un geste irréversible qui décide d'un grand événement d'État et familial, qui marque la plus grande déception de l'Impératrice Douairière Ci Xi. Mademoiselle Foucha se vit remettre les deux bourses rouges, attributs de la Favorite Impériale. Les deux autres seront des « ping », concubines impériales de 4e rang. Elles pourront, ultérieurement, obtenir une promotion en fonction des appréciations de l'Empereur.

Déroulement des cérémonies du Grand Mariage

La date de célébration du mariage est fixée par l'Office d'Astrologie Impérial: ce sera le 15e jour du 9e mois, lorsque la lune sera pleine.

Le Grand Mariage nécessite de longs et nombreux préparatifs. L'Académie Impériale est chargée de la rédaction du décret de nomination de l'Impératrice. Le Ministère des Rites, qui assume la réalisation de ce décret gravé sur un livret composé de plaques d'or, la fabrication du « Sceau d'Autorité » de l'Impératrice, a également pour tâche de préparer les présents destinés à la future Impératrice et à sa famille.

La population, informée par un décret, se réjouit d'un tel événement faste qui ne s'était pas produit depuis plus d'un siècle. De nombreux dignitaires provinciaux sont invités à la capitale pour assister au mariage de l'Empereur. Ces hôtes distingués se déplaçant avec une suite importante, famille et domestiques, exigent des domaines spacieux pour se loger.

A l'occasion de cette fête, des commerçants, des artisans, des troupes de théâtre, venus de tous les horizons de la Chine, se ruent vers la capitale pour tenter la fortune. Ainsi, la population de Pékin augmente-t-elle brusquement de plusieurs centaines de milliers de personnes. Les hôteliers, les restaurateurs, les tenanciers de maison de thé, débordés, ne savent plus où donner de la tête. C'est aussi une occasion extraordinaire pour les voleurs. Dans une seule journée, la gendarmerie de Pékin s'est saisie de plus d'une centaine de pickpockets.

Le trousseau de la Mariée Impériale

Le neuvième jour du neuvième mois, la population, excitée, est descendue dans la rue pour voir le défilé de la dot de l'Impératrice. Défilé qui durera quatre jours car le trousseau de la Mariée Suprême sera porté sur 360 tréteaux mobiles.

Dès l'aube le service d'ordre, assuré par les cavaliers des régiments de la Bannière Blanche à galon et de la Bannière Bleue, est en place. Vêtus de leur tenue neuve, veste de satin bleu, bottines à semelle souple et chapeau garni de pompons rouges, ils essayent de maintenir tranquille cette foule en festivité qui crée un grand désordre et bloque la circulation de la capitale. Pourtant, il faut coûte que coûte libérer un chemin d'une dizaine de mètres de large, depuis la porte d'entrée de Pékin jusqu'à la Cité Interdite, pour permettre le passage du cortège qui transporte le trousseau de l'Impératrice.

En temps ordinaire, les gardes peuvent abuser de leur autorité par des menaces en agitant leur

cravache. Ils peuvent même fouetter, à l'occasion, les individus trop arrogants. Mais, le mariage de l'Empereur est un événement sacré, de grande félicité, et tout acte de violence est interdit. Si quelqu'un se mettait à pleurer ou à pousser des injures, ce serait, en ce jour, le plus grand des sacrilèges. Ainsi, impuissants, les gardes se plient en quatre et usent de formules de politesse à l'encontre de la foule pour qu'elle veuille bien reculer de quelques pas.

A midi, retentit le son des tambours, des gongs et des flûtes, annonçant l'arrivée du cortège. Il s'avance lentement et s'allonge comme un serpent géant, sans fin, dont le corps est formé de kiosques mobiles décorés de brocart de couleur « jaune radieux ».

Une cinquantaine de kiosques sont ainsi véhiculés par des porteurs vêtus de vestes de satin rouge brodées par les ateliers renommés de la ville de Suzhou. Ces kiosques mobiles sont chargés des objets précieux et personnels de la future Impératrice : bijoux, bibelots, vêtements, ainsi que des « 4 Trésors du Lettré » car l'Impéra-

trice est une femme savante. Puis, viennent plusieurs dizaines d'ensembles de meubles, tous en bois d'ébène, finement sculptés de dragons et de phénix. Ces meubles, fabriqués dans les ateliers les plus célèbres de Canton, sont beaucoup plus grands que les meubles standards. Mais on ne voit pas le lit, et la population est un peu déçue car on raconte que l'Impératrice a, dans sa dot, un lit en ivoire orné de huit pierres précieuses. Alors, où dormiront les mariés impériaux ?

En effet, le lit nuptial du couple impérial fait partie intégrante de la construction du « Palais de la Tranquillité Terrestre ». Il est immense et agencé comme une pièce à part munie de table basse, décorée de peinture et de calligraphie... ainsi que d'une lampe à huile additionnée de miel, souhait de douceur pour le couple des souverains.

Au moment où le spectaculaire trousseau de l'Impératrice se déroule dans la capitale, « Huit Dames de Grande Prospérité » sont, au Palais, occupées à préparer le lit nuptial. Elles ont été choisies en fonction des critères suivants :

— ayant des parents et beaux-parents en vie

— ayant des fils en bonne santé

— dont le mari est classé dans le 1ᵉʳ rang du gouvernement

— être l'épouse officielle (la première épouse en rang) de son mari et, de préférence, de belle allure et de bonne santé.

Parées de leurs somptueux costumes de Grande Cérémonie, les Huit Dames se placent aux quatre coins du lit. Assistées par quatre jeunes courtisanes, elles y étendent une douzaine de couvertures de soie brodée puis déposent à chaque angle un sceptre de jade.

Au centre, elles placent le costume de mariée brodé du motif « l'Harmonie du Dragon et du Phénix », ainsi qu'une écharpe au motif des « Cent Fils » qui servira à couvrir la tête de la mariée. Costume et écharpe seront apportés par les Huit Dames de Grande Prospérité à la demeure de la future Impératrice le jour de son mariage afin qu'elle s'en pare pour monter dans son palanquin.

C'est une mission de grand honneur pour les Huit Dames car, le jour du mariage, elles participeront au défilé alors que la future Impératrice, enfermée dans son palanquin, sera invisible aux yeux du public. Ainsi, ces Dames d'Honneur l'escorteront à cheval et seront l'objet d'admiration durant tout le trajet à travers les rues de la capitale.

Les jours précédant la cérémonie du Grand Mariage, l'Empereur envoie des dignitaires qui le représentent, au Temple du Ciel, au Temple de la Terre et au Temple des Ancêtres, pour y prier, déposer des offrandes, ainsi que pour annoncer aux Divinités Suprêmes l'événement du Grand Mariage.

Dès l'aube, à l'heure du Tigre, l'Empereur monte sur le trône dans le Palais de l'Harmonie Suprême. Tandis que l'Officiel du Protocole lit la proclamation solennelle, l'Empereur confie à l'Envoyé Spécial un « Jie », sceptre dont la hampe est ornée de neuf houppes, qui symbolise la présence, en personne, de l'Empereur.

Le Jie en main, l'Envoyé Spécial se rend à la demeure de la future Impératrice. Avec lui, un imposant cortège escorte un palanquin en forme de kiosque dans lequel se trouvent le livret de nomination et le sceau en or de l'Impératrice. La demeure du futur beau-père de l'Empereur est en fête : des armes protocolaires, des lanternes et des dais sont alignés depuis la porte de la maison jusqu'au boulevard.

A l'arrivée du cortège, les membres masculins de la famille s'agenouillent devant la porte extérieure pour l'accueillir, et les membres féminins le reçoivent de la même façon, devant la porte intérieure. L'Envoyé Spécial entre dans la pièce centrale et dépose sur l'autel, dressé pour la circonstance, le livret et le sceau. C'est alors seulement qu'apparaît la future Impératrice qui s'agenouille à son tour pour écouter la proclamation de sa nomination, un très long texte que l'Envoyé Spécial récite en articulant chaque mot. Sa mission accomplie, il retourne dans la Cité Interdite pour faire son rapport à l'Empereur.

La Salle de l'Harmonie Suprême est somptueusement décorée, et trois objets précieux sont placés en évidence sur trois tables: le Décret, le Sceau de l'Empereur et le Jie. Des accessoires protocolaires, destinés à la procession de l'Empereur, sont disposés devant la porte de la Salle de l'Harmonie Suprême et à travers toute l'esplanade.

Dans la partie intérieure de la Cité Interdite, devant le Palais Cininggong - « Palais de l'Affection Sereine » - lieu où réside la mère de l'Empereur, l'Impératrice Douairière, des accessoires protocolaires portant ses insignes sont également rangés. Enfin, les accessoires protocolaires de la future Impératrice sont maintenant exposés à partir de Wumen, la porte d'entrée de la Cité Interdite, jusqu'à la porte de l'Harmonie Suprême.

L'Empereur, qui a revêtu son costume de grande cérémonie en satin Jaune Radieux brodé de dragons, doit d'abord se rendre au Palais de l'Impératrice Douairière pour la saluer, puis il se dirige vers le Palais de l'Harmonie Suprême où il monte sur le trône pour recevoir les félicitations des dignitaires.

Précédée de 300 paires de lanternes, d'innombrables bannières et éventails géants, la mariée, assise dans le « palanquin de l'Impératrice » - « char de Phénix » - s'avance, suivie par une multitude de cavaliers et de cavalières. Parmi celles-ci, les Huit Dames de Grande Prospérité qui sont venues pour aider à l'habillage et la coiffure de la mariée.

A l'heure du Cheval, à midi, le char de Phénix arrive devant la Cité Interdite. Lorsque l'Impératrice passe la « Porte du Midi », qui abrite la Grande Cloche et le Grand Tambour, une musique d'accueil retentit. Elle devait alors être conduite en chaise-à-porteurs jusqu'aux marches du Palais de l'Harmonie Suprême mais, à cette époque où le pouvoir est détenu par l'Impératrice Ci Xi, l'ordonnancement du trajet de la mariée était modifié. Il n'était plus permis à la future Impératrice de se rendre en chaise-à-porteurs devant la Salle de l'Harmonie Suprême, lieu symbolisant le pouvoir étatique, mais elle devait descendre devant le Qianqinggong, « Palais de la Pureté Céleste », qui est le premier édifice dans le Palais Intérieur, demeure de la famille impériale. C'est là que l'Impératrice, une pomme dans chaque main, sort de son palanquin (symboles de Paix, « Bing », par homonymie. Les pommes seront ensuite déposées dans la chambre nuptiale). En échange elle reçoit, des mains de l'une des Huit Dames de Grande Prospérité, un petit vase contenant du millet, des rubis, des pièces de monnaie..., dits « les Huit Trésors ».

Conduite par un cortège de courtisanes portant 6 paires de brûle-parfum, l'Impératrice se rend à pied jusqu'au Kunminggong, « Palais de la Tranquillité Terrestre » où l'Empereur l'attend pour la cérémonie nuptiale. L'époux est placé à l'Orient et l'épouse à l'Occident. Face à face ils font neuf fois la prosternation, rythmée par une musique. Puis, ensemble, ils saluent successivement le Ciel, la Terre, le Dieu de Longévité, enfin, le Dieu de la Cuisine. Etant donné que faire la cuisine est le devoir sacré d'une épouse, l'Impératrice accomplit seule le rituel des offrandes à ce Dieu dont l'image est située dans la salle centrale du Palais de la Tranquillité Terrestre. C'est là que se trouve également un fourneau muni de deux marmites géantes et d'une table de boucher.

A l'occasion du Grand Mariage, la chambre est entièrement décorée de rouge. Le lit nuptial, muni d'une tenture brodée d'une scène de « Cent Fils » se trouve dans la partie Nord de la pièce. Un trône, dépourvu de tout apparat protocolaire, est placé à côté. Dans la partie Sud de la chambre, près de la fenêtre, un « kang » est bâti. Il s'agit d'un lit en briques, creux en dessous, permettant un système de chauffage pour l'hiver.

C'est sur ce kang que les mariés viendront s'asseoir pour manger, à deux, un ravioli. On *invite le jeune mari à se retirer un bref instant afin de procéder, sur la mariée, au rituel de « l'ouverture du visage » qui consiste à enlever le duvet de jeune fille sur son front et sur ses joues. C'est encore le rôle des Dames de Grande Prospérité qui, avec un fil très fin, épilent les petits poils, près de la racine des cheveux, pour donner au front une forme carrée et nette. Puis, elles lissent la peau avec un œuf cuit, sans coquille. Ce polissage donne à la mariée un teint d'une luminosité éclatante. Il faut ensuite transformer sa coiffure: jusqu'à présent elle portait, selon la mode pour les jeunes filles, une coiffure à deux chignons. On la coiffe maintenant*

avec un seul chignon plat qui se déforme beaucoup moins facilement dans le lit.

Parée d'une simple fleur de velours rouge et d'une petite épingle à cheveux, l'Impératrice se met à table, face à son époux.

C'est l'heure du souper nuptial.

Tout le monde se retire, refermant doucement derrière eux la porte de la chambre nuptiale. Dans la cour un couple de serviteurs chante doucement les chants de la nuit de noces en langue mandchoue, rythmés par les sons clairs de deux plaquettes de bois.

Les Huit Bannières

Depuis sa création en 1615 par NURHACHI (1559-1626), chef d'une tribu apparentée au Nüzhen (Jürchen) vivant dans le Nord de la Mandchourie, l'armée des Huit Bannières poursuivait invinciblement son chemin. Elle conquit la Mandchourie, domina la Chine, soumit les Mongols et les Tibétains, mena sa campagne jusqu'à la lointaine région d'Ili, au Sud du lac Balkhah. L'efficacité de cette armée, durant plus d'un siècle et demi, avait quelque chose de surprenant, compte tenu de la simplicité de son organisation.

Avant de régner sur le vaste empire chinois, les Mandchous vivaient dans la plaine du Nord-Est, à l'extérieur de la Grande Muraille de Chine, région d'origine de Nüzhen qui avait instauré la dynastie des Jin (1115-1234) dans la Chine du Nord, puis étaient chassés par les Mongols qui traitèrent leur sort d'une manière impitoyable, si bien que, après le passage des Yuan (dynastie mongole en Chine: 1279-1368), les Mandchous sont réduits à l'état de tribus nomades, vivant principalement de chasse et d'élevage, à côté d'une économie de cueillette de racines de ginseng, et de razzias.

16

17

15

15 - Armure de l'Empereur Qian Long, pour les grands défilés

16 - Armure d'un chef de régiment à bannière bleue

17 - Armure d'un chef de régiment à bannière blanche à galon

Armures des Huit Bannières

Pour chasser, les hommes de ces tribus se regroupent en unités de 10. Une fois sur le lieu, chacun tire une flèche de son carquois et expose son plan de chasse. Celui dont la proposition obtient l'approbation du plus grand nombre est élu chef, et il reçoit de chacun une flèche en signe de soumission. Il assume le commandement pendant toute l'expédition et détient également le pouvoir de punir les désobéissances. Ce groupe primitif, qui devint l'unité de base pour la guerre comme pour la chasse, est appelé Niulu en langue mandchoue, et le chef Niulu-Ezhen.

Chaque année, en automne, a lieu la Grande Chasse. Les Niulu se regroupent alors par dix, formant un Jiala dont le chef est élu de la même manière.

Jusqu'au début du 17ᵉ siècle ces tribus mandchoues, bien que sédentarisées, gardent le même mode de vie. La tradition de la chasse reste inchangée mais l'organisation et l'entraînement au combat vont servir de plus en plus à des fins militaires.

En 1601 Nurhachi, chef du clan AISIN GIORO, ayant soumis plusieurs tribus voisines, part à la conquête de la Mandchourie. Pour faciliter le commandement, il ajuste au fur et à mesure le nombre d'hommes composant un Niulu, en fonction des effectifs de son armée qui s'amplifient. C'est ainsi que l'unité de base de dix hommes passe d'abord à cent, puis à trois cents. En 1611, le Jiala réunit cinq Niulu, comptant 1 500 hommes, et cinq Jiala formeront un Gusan, commandé par un général, appelé Gusan-Ezhen.

Nurhachi, le Grand Khan, se trouve alors à la tête d'une armée forte de 30 000 guerriers. Il commande lui-même 4 Gusan émanant de l'armée régulière et, pour les différencier, il attribue à chacun une bannière (étendard) de couleur différente: Jaune, Blanc, Rouge, Bleu. En 1615, pour répondre aux nouvelles nécessités militaires, il crée quatre autres régiments : les Bannières Jaune à galon, Blanche à galon, Rouge à galon et Bleue à galon. L'armée compte alors Huit Bannières. Les trois Bannières supérieures, Jaune à galon,

Jaune, et Blanche, seront commandées par le Khan lui-même, les cinq autres par ses descendants directs ou indirects, ayant maintenant le titre de Princes.

Fort de sa nouvelle puissance militaire, Nurhachi fonde en 1616 le royaume Jin Postérieur, se référant à la dynastie Jin du 12ᵉ siècle établie dans le Nord de la Chine.

La stratégie des Huit Bannières, en plaine, consiste à encercler l'ennemi et le réduire progressivement en resserrant l'étreinte. Sur un terrain accidenté, les Huit Bannières attaquent séparément et suivent chacune son chemin sans jamais se mélanger. En progression comme dans les batailles, les cuirassiers lourds, armés de lances et de sabres, marchent en tête, suivis par les archers, la cavalerie d'élite ferme la marche et n'intervient qu'en cas de nécessité. Malgré son grand prestige, la tactique de l'armée mandchoue reste rudimentaire et s'avère moins efficace dès qu'elle se trouve hors de son cadre naturel. Les Mandchous piétinent aux portes de la Chine.

Après la mort de Nurhachi, HUANGTAJI (1592-1643), son 8ᵉ fils, lui succède sur le trône et change le nom de leur dynastie, appelée désormais DA QING qui signifie Grande Pureté. Après sa mort, son 14ᵉ frère, DUO'ERNGUN, assure la régence de son héritier qui n'est âgé que de 4 ans, et mène avec succès les opérations militaires. Mais, malgré leur victoire foudroyante, les Huit Bannières ne parviennent pas à pénétrer à l'intérieur de la Grande Muraille dont la Passe Orientale, SHANHAIGUAN, est gardée par le général WU Sangui avec sa puissante armée de garnison.

En 1644 une opportunité joue en faveur du destin des Mandchous. La Chine est secouée par une guerre civile. Une armée de révolte, comptant plus de 200 000 soldats réunis sous le drapeau de LI Zicheng, déferle jusqu'à la capitale et pénètre dans la Cité Interdite. L'Empereur des Ming a juste le temps de s'enfuir de son palais et se pend sur la Colline de Charbon. Li Zicheng se proclame empereur et les descendants des Ming s'enfuient et se réfugient dans le Sud et sur l'île de Taiwan.

Le général Wu, fidèle à l'Empereur des Ming, demande alors l'aide de l'armée mandchoue pour écraser la rébellion. C'est ainsi que les guerriers des Huit Bannières ont pu franchir la Passe de Shanhaiguan, et marcher jusqu'à Pékin sans trop de difficultés. Mais une fois la révolte écrasée, les Mandchous s'installent et prennent possession de la Chine comme pays conquis.

Le général Wu doit, malgré lui, se soumettre à l'Empereur des Qing-Mandchous et se voit récompensé par l'attribution du poste de Gouverneur de la Province de Yunnan.

En 1673, Wu Sangui se retourne contre les Mandchous, l'Empereur Kang Xi (règne: 1662-1722) ne réussira à récupérer cette région qu'après la mort de Wu. La domination complète de la Chine ne s'achèvera qu'en 1683.

Guerre faisant, viennent s'ajouter aux Huit Bannières Mandchoues, Huit Bannières Mongoles et Huit Bannières Chinoises. On peut s'étonner que les Qing, qui en tout point ont adopté le système chinois, s'attachent tant à leurs Bannières. Il faut comprendre que chez eux, à l'origine, l'entraînement militaire étant obligatoire pour tous les hommes, il n'y a guère de distinction entre vie civile et vie militaire. Les Huit Bannières étant la base d'une organisation militaire celle-ci devient aussi, automatiquement, le système de gouvernement. N'ayant pour appuyer leur civilisation, ni art, ni littérature, ni une grande tradition qui puissent rivaliser avec la Chine, les Huit Bannières sont devenues, en quelque sorte, leur identité culturelle, comme le tir à l'arc et l'équitation qui, disaient les premiers Empereurs des Qing, sont le fondement des Mandchous.

Conscients de la fragilité de leur pouvoir face à la révolte intérieure et à l'expansion des Mongols aux frontières, les premiers empereurs des Qing vont prendre une série de mesures pour maintenir l'aptitude militaire de la classe dirigeante.

Mais, ayant adopté le système d'examen littéraire chinois pour le recrutement des mandarins, les descendants des familles des dirigeants des Huit Bannières négligent peu à peu les arts martiaux pour se consacrer aux études littéraires. Kang Xi, lui-même érudit en culture chinoise, voit le danger de perte d'identité des Mandchous. Il ordonne aussitôt d'instituer des épreuves de tir à l'arc à cheval et de langue mandchoue pour les candidats à l'examen littéraire.

Parallèlement, il crée l'examen militaire pour le recrutement des officiers.

Toujours dans le but de maintenir l'esprit martial, l'Empereur préside, tous les trois ans, le Grand défilé Militaire. A cette occasion, les Huit Bannières Mandchoues, Chinoises et Mongoles défilent devant l'Empereur en faisant des démonstrations militaires. C'est aussi une occasion pour les guerriers de montrer leur talent martial et d'obtenir une récompense de la part de l'Empereur en personne.

Les Empereurs Kang Xi et Qian Long surveillent souvent personnellement les entraînements des fils de l'aristocratie mandchoue qui, dès l'âge de 10 ans doivent, tous les 10 jours, passer une épreuve de tir à l'arc à cheval. A partir de 20 ans ils sont astreints aux épreuves, en casque et armure. Kang Xi accorde aussi une grande importance aux armes à feu et crée des régiments d'artillerie au sein des Huit Bannières.

En 1685, vingtième année de son règne, Kang Xi organise une parade exceptionnelle à l'occasion d'une visite des chefs des tribus mongoles. A la tête d'une armée de cent mille officiers et soldats en armure, il fait tonner quelques centaines de canons qui abattent les cibles. Devant l'air ahuri de ses hôtes, Kang Xi, satisfait, dit en souriant : « la parade militaire est une tradition chez nous ; d'année en année, cela devient une routine, il n'y a pas de quoi s'effrayer ».

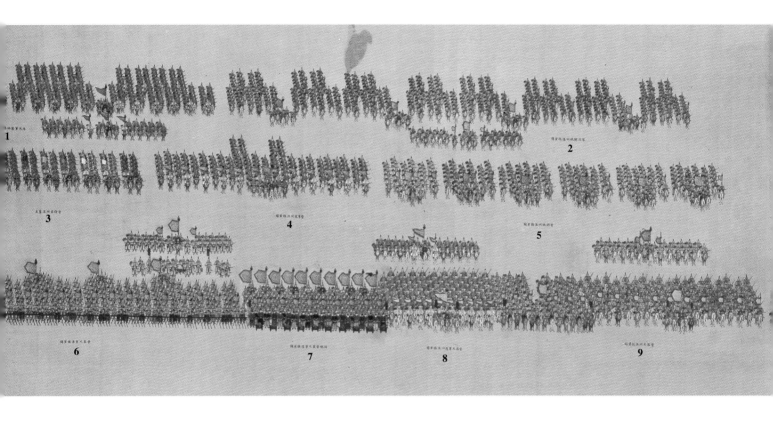

Alignement de la Bannière Jaune à galon

Détail d'un plan de défilé militaire en 1747, présidé par l'Empereur Qian Long - l'ensemble compte 8 Bannières Mandchoues, 8 Bannières Mongoles et 8 Bannières Hans.

1 - Bannière Jaune à galon Mandchoue : Escorte secondaire.
2 - Bannière Jaune à galon Mandchoue : Cavalerie secondaire.
3 - Aile gauche mandchoue : Avant-gardes.
4 - Bannière Jaune à galon Mandchoue : Régiment d'escorte.
5 - Bannière Jaune à galon Mandchoue : Cavalerie
6 - Bannière Jaune à galon Han (Chinois) : Régiment d'armes à feu.
7 - Bannière Jaune à galon Han (Chinois) : Régiment d'armes à feu.
8 - Bannière Jaune à galon Mandchoue : Régiment d'armes à feu.
9 - Bannière Jaune à galon Mandchoue : Régiment d'armes à feu.

La chasse

Les Empereurs partent souvent à la chasse : au printemps pour la « Petite Chasse » dans les parcs impériaux, en automne pour la « Grande Chasse », dans la nature.

La Grande Chasse est particulièrement digne d'intérêt. Cette opération, qui est en même temps une occasion de faire manœuvrer les troupes, déplace quelques milliers de soldats et d'officiers à l'extérieur de la Grande Muraille, au Nord de la capitale. Les Princes Mongols, vassaux des Empereurs Qing, envoient chaque année des milliers d'hommes pour participer à cette partie de chasse qui dure environ vingt jours. L'armée part à l'aube et, à l'approche de l'objectif, se divise en deux colonnes. Par la gauche et par la droite, en files indiennes, les soldats contournent le terrain de chasse en laissant des plantons à intervalles réguliers. Quand l'encerclement est complet, au commandement, la battue commence, le cercle se resserre et, lorsque la distance entre les hommes est réduite de moitié, un deuxième cercle, plus petit, se dégage du premier, puis un troisième du second dès que les hommes qui le forment peuvent se toucher de la main. Les trois cercles continuent de se resserrer jusqu'à ce que les soldats du cercle intérieur soient au coude à coude. C'est alors que l'Empereur entre à l'intérieur de cette enceinte accompagné des hommes de sa proche famille et de quelques tireurs d'élite. Les femmes de la Cour, installées dans des kiosques, peuvent suivre la chasse du regard. Il va sans dire que les animaux pris dans un tel piège n'ont que peu de chance de s'en échapper.

N° 25 et 27 : Arc, carquois et flèches

L'Empereur Qian Long en grande tenue de Parade Militaire
Peinture sur soie de G. Castiglione

Divertissement sur la glace

En hiver, rivières et lacs sont gelés dans le Nord de la Chine. A Pékin, on emprunte la rivière gelée comme voie de communication depuis la Porte Xizhimen jusqu'à la banlieue Ouest, pour transporter les marchandises sur des traîneaux.

C'est aussi la période des sports de glace : on pratique, soit individuellement, le patin à glace ou la glisse assis sur une planche en ramant avec des burins; soit à 3 ou 4, montés sur un traîneau tiré par des serviteurs ou des coolies.

Les membres de la famille Impériale suivaient déjà cette mode à l'époque des Ming : en hiver, les princes aimaient se rendre au Parc de l'Ouest en traîneaux sur glace.

Sous les Qing, les trois grands lacs du Palais sont des lieux de divertissement impérial: l'Empereur Qian Long qui aimait beaucoup ces sports, invitait les membres de la Cour à des compétitions de patinage sur glace, notamment le tir à l'arc sur cible. Lui-même, assis sur un traîneau en forme de kiosque, donnait des prix aux vainqueurs et composait des poésies sur ces thèmes. Son traîneau somptueusement décoré, appelé « Lit sur glace », était tiré par des eunuques formés particulièrement pour ce sport.

Scène de pique-nique durant une chasse dans la nature présidée par l'Empereur Qian Long.
Peinture G. Castiglione (ci-contre à gauche)

Les Peintres Jésuites à la Cour de Chine

Parmi les peintures conservées dans la Cité Interdite, un œil exercé remarquerait rapidement que certaines d'entre elles sont « moins chinoises » que d'autres. Elles sont en effet l'œuvre de missionnaires jésuites européens, peintres à la Cour Impériale. Ces peintures souffraient d'une méconnaissance des amateurs chinois de l'époque, dûe au mépris des lettrés à l'encontre des artistes du Palais dont le style académique manquait un peu de « spiritualité ». Cependant ils leur reconnaissaient, à l'occasion, une valeur en tant que témoignages historiques du fait de la précision descriptive qui ressortait de ces œuvres.

Les peintres chinois recherchent, depuis la dynastie des Yuan (1279-1369), à travers les œuvres, une vie intérieure où la représentation formelle n'est plus qu'un prétexte. C'est en cela que la peinture chinoise rejoint la calligraphie.

Par contre, les peintures qui s'attachent à la description des formes extérieures sont considérées comme mineures.

La démarche des artistes occidentaux recrutés par l'Empereur de Chine, constituait une première tentative d'adaptation de la technique picturale à la peinture chinoise par l'introduction de la perspective, du clair-obscur et du volume.

La présence des peintres jésuites à la Cour de Chine n'était certainement pas dûe au hasard mais s'inscrivait dans le cadre de la politique d'expansion chrétienne de la Compagnie de Jésus. Bien avant eux les Nestoriens, puis les Franciscains, avaient tenté de christianiser les Chinois. Les premiers marquèrent leur passage d'une stèle commémorative; les exploits du Père Franciscain Jean de Montcorvin

L'Empereur Qian Long chassant le lièvre
Peinture de G. Castiglione

s'effondrèrent à la fin de l'Empire Mongol (dynastie des Yuan: 1279-1369).

Le plan des Jésuites était organisé avec plus d'efficacité. Ils envoyaient en Chine des hommes d'élite possédant science et culture, ou la maîtrise d'un art, et qui, parfois, parlaient déjà la langue. Pour mieux s'intégrer, ils adoptaient un nom chinois et se présentaient ainsi à la Cour où l'Empereur les accueillait sans trop de difficultés.

Durant leur vie ils mettaient toute leur volonté à s'imprégner de culture chinoise. En contrepartie, ils transmettaient l'art et les sciences occidentaux aux Princes et à l'Empereur lui-même.

Dès le 17e siècle, les missionnaires Français assuraient la liaison diplomatique entre le Roi Louis XIV et l'Empereur Kang Xi, qui s'honoraient mutuellement en échangeant de précieux cadeaux. C'était l'époque où le Roi Soleil embellissait son Palais de Versailles de vases et porcelaines chinoises.

La France de Louis XIV développa une politique d'échanges commerciaux d'envergure avec la Chine, favorisa l'import-export, et la Compagnie des Indes Orientales se vit attribuer le monopole du commerce et de la navigation dans les mers d'Orient et du Sud. A Lyon, on installa une fabrique chargée de manufacturer la soie importée de Chine.

En Chine, le grand Kang Xi chargeait les artistes européens, les Jésuites, de la conception d'un Palais d'Eté à Yuan Min Yan : un magnifique jardin d'inspiration occidentale, de style Rococo, situé à l'Ouest de Pékin (il fut détruit en 1860 par les armées alliées franco-anglaise). Après la mort de l'Empereur Kang Xi, la position des Jésuites devint plus difficile et, avec la condamnation en 1715, par le Vatican, des rites chinois, l'âge d'or des missionnaires en Chine s'acheva en 1742. Cependant, les peintres de la Cour, tels que Castiglione et Attiret, conservaient toujours la faveur du souverain.

Portraits de 10 chevaux peints par Jean-Denis ATTIRET (1702-1768)

Né à Dole en juillet 1702, fils de peintre, l'enfant Jean-Denis reçoit de son père les rudiments de la peinture. Adolescent, il révèle déjà un talent d'artiste. Il part à Rome pour se perfectionner et y restera deux ans. De retour en France, il s'installe pour un temps à Lyon avant d'entrer, en 1735, chez les Jésuites.

A cette époque les Jésuites Français de Pékin demandent à Paris d'envoyer des missionnaires peintres car ceux de la mission Portugaise semblaient avoir du succès auprès de l'Empereur de Chine. Apprenant la nouvelle, Attiret se porte aussitôt volontaire.
Il embarque fin 1737 et arrive à Pékin en août 1738. On le présente à l'Empereur à qui il offre une de ses toiles. Qian Long le complimente sur son talent d'artiste et ordonne de l'installer à la Cour avec les autres peintres Jésuites. Ainsi commencent trente années de vie de peintre officiel dans l'Académie Impériale de Chine.

Spécialiste de portraits et de peintures historiques, il ne peut que plaire au souverain chinois qui cherche à immortaliser son règne par des images. Qian Long, comme son grand-père Kang Xi, est un grand amateur d'art chinois. S'il apprécie la peinture occidentale, pour son réalisme propre à rendre les portraits plus ressemblants et les scènes de victoire plus véridiques, il préfère cependant, par goût, la peinture des lettrés. Aussi, ordonne-t-il à Attiret d'apprendre cette dernière. Attiret se sent humilié mais se contient. Il se confie à Castiglione, peintre jésuite Italien, avec lequel il se lie d'amitié. Castiglione, qui en est à son troisième Empereur depuis sa venue à la Cour, le calme et lui fait comprendre l'importance de leur présence auprès du Souverain de l'Empire du Milieu, pour l'Eglise Catholique. Ces conseils évitèrent de graves erreurs à une époque où les autorités chinoises étaient plutôt hostiles à la présence des chrétiens en Chine. Grâce à ses efforts, Attiret devient un peintre très apprécié de l'Empereur Qian Long. Il a réalisé des œuvres gigantesques en collaboration avec ses collègues, et d'autres, personnelles. Sa série des « Dix Chevaux » est l'une des plus connues parmi ses peintures chinoises.

Portraits de chevaux

Le cheval est l'un des sujets favoris des artistes chinois. Déjà, à l'époque de la dynastie des Han (206 av. J.C. - 220 après J.C.) peintres et sculpteurs immortalisent les coursiers célèbres qui ont contribué aux victoires de l'Empire de Chine.

Pour les chinois, l'art équestre est directement lié à la garantie d'un Etat puissant. Contre les incursions fréquentes des hordes cavalières des steppes du Nord, on compte sur la position défensive de la Grande Muraille, symbole de la passivité. Mais, pour l'unification de la Chine et l'expansion de l'Empire par l'assujettissement des tribus « barbares », une puissante cavalerie est le symbole du dynamisme d'une dynastie.

Durant le règne des deux plus grandes dynasties chinoises, celles des Han et des Tang (618-907), furent entretenus, à prix d'or, des haras chargés de la reproduction et l'amélioration de la race chevaline avec des étalons importés des steppes du Nord-Ouest, connus sous le nom de « chevaux célestes ». Déjà, sous les Han, au 1er siècle avant J.C., l'armée chinoise comptait plus de 200 000 coursiers.

Les Qing (1644-1911), souverains mandchous originaires des steppes du Nord-Est, ont conquis la Chine grâce à la supériorité de leur cavalerie. On comprend, par cela, l'attachement qu'ils portent aux beaux chevaux, et les nombreux portraits de leurs coursiers favoris présents dans les collections de la Cité Interdite.

L'Empereur Qian Long à la chasse
Peinture de Castiglione

La peinture montre une scène où Qian Long chasse le cerf, accompagné d'une femme en costume ouigour, qui est probablement Rong Fei, la favorite Rong, sœur d'un chef de tribu ouigour assujetti à l'Empereur de Chine.

Amazone accomplie, Rong Fei accompagnait souvent Qian Long à la chasse.

Peintures de scènes de chasse de l'Empereur Qian Long par Guiseppe Castiglione (1688-1766)

Né à Milan, en 1688, il étudie la peinture dans un atelier de Gênes. En 1707, il entre dans la Compagnie de Jésus. Destiné à faire partie de la mission catholique, en Chine, il est envoyé au Portugal au couvent des Jésuites de Coïmbra en 1710, conformément à la règle en vigueur selon laquelle la mission d'Extrême Orient est soumise au Roi du Portugal.

En 1714, son noviciat terminé, il embarque pour Macao, via Goa, où il arrive en juillet 1715, et gagne aussitôt Canton. Là, il apprend les bases de la langue, de la civilisation et de l'histoire de la Chine. La même année on l'envoie à Pékin où il adopte un nom chinois: Lang Si Ning. Il est présenté à l'Empereur Kang Xi en qualité de peintre, s'installe au siège de la Mission Portugaise, à Dongdan, située à l'Est de Pékin, et commence à travailler avec Rippa, un jésuite napolitain arrivé en 1710. En 1721 les jésuites rénovent leur Eglise de Pékin et Castiglione est chargé de la décoration intérieure. A la même époque, il collabore à l'adaptation en chinois des traités « Perspectiva Pictorum » et « Architectorum » d'Andréa Pozzo, qui seront publiés en 1729, sous le règne de Yong Zheng.

Durant la première année du règne de Yong Zheng (1723) Castiglione est appelé à habiter à la Cour Impériale à laquelle il consacre, désormais, toute sa création. Cependant, il

n'oublie pas sa qualité de Jésuite et lorsque l'activité des missionnaires est frappée d'interdit par le gouvernement chinois, Castiglione sait qu'il risque la mort en intervenant auprès de l'Empereur Qian Long. Celui-ci accepte une première fois sa requête, en 1736. Mais, lorsqu'en 1746, la répression tombe à nouveau sur la mission catholique, l'Empereur refuse de l'écouter.

Parmi les travaux connus de Castiglione, citons sa participation, en 1747, à la conception des jardins à l'européenne de Yuan Min Yuan. En 1756, il réalise avec Attiret, Sickelpart et Salusti, une série de 16 dessins valorisant les conquêtes de Qian Long en Haute Asie. Les dessins sont envoyés à Paris pour y être gravés, mais il meurt en 1766 et ne verra pas le résultat de ce travail. Ces gravures ne reviendront en Chine qu'en 1774.

Artiste de talent, il est reconnu dès l'âge de 20 ans, comme en témoignent les deux tableaux de la vie de Saint Ignace, dans la chapelle des novices, à Gênes.
A la demande de l'Empereur de Chine, Castiglione apprend les techniques de la peinture chinoise. Il ne se contente pas d'une simple imitation, mais crée son propre style qui allie une ligne fluide des contours à un sens des volumes et une organisation de l'espace proprement européens. Le mariage des deux techniques picturales est particulièrement sensible dans ses portraits des membres de la famille impériale et ses peintures de chevaux, qui constituent la grande partie de son œuvre personnelle.

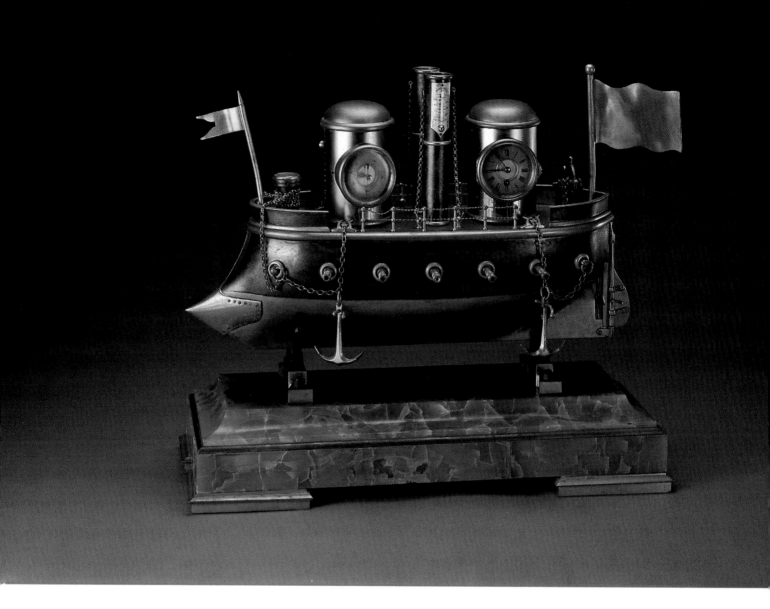

N° 62 - Horloge Française du 19ᵉ siècle

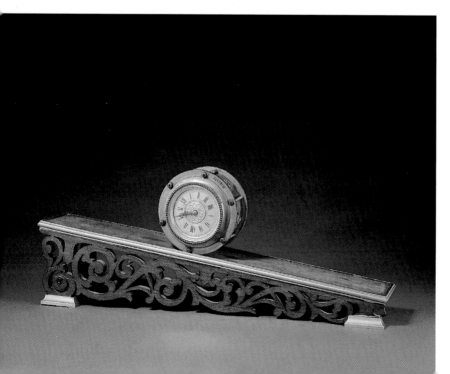

N° 63 - Horloge Française du 19ᵉ siècle

La collection Impériale d'horloges, témoin des échanges Europe-Chine

Les collections de la Cité Interdite comptent des horloges et des montres par milliers. Un grand nombre d'entre elles, fabriquées à Londres au 18ᵉ siècle, ont été offertes par les ambassadeurs de Sa Majesté, des missionnaires, ou achetées par la Cour, par l'intermédiaire d'une Société Anglaise installée à Canton. D'autres sont des horloges Françaises, Suisses ou Chinoises.

C'est le missionnaire Jésuite Italien Matteo Ricci qui, en 1600, offre à l'Empereur Wen Li de la dynastie des Ming, les premières horloges mécaniques, à une époque où les Chinois en étaient encore à l'usage des clepsydres. En 1653, l'Empereur Shun Zhi, des Qing, reçoit en présent une montre de poche. Cet objet, exotique mais pratique, lui plait tellement qu'il ne le quitte jamais.

L'Empereur Kang Xi (1662-1722), après avoir consolidé sa dynastie, s'intéresse au développement technique de la Chine. Aidé par les missionnaires européens, il crée dans son Palais une fabrique d'horloges et de montres. Pour Kang Xi cette création faisait, à l'évidence, partie d'un désir d'ouverture sur les techniques modernes venant de l'Occident.

Si les Anglais avaient échoué dans leur tentative d'importer de la laine en Chine, les horloges et les montres firent partie des produits que les Chinois étaient prêts à payer très cher, comme cela apparaît dans les collections où l'on voit des horloges signées des plus grands fabricants Londonniens tels que James Cox, Joseph Williamson, qui recherchèrent un style et des motifs au goût chinois, tandis que les horlogers Français se distinguent par un style typiquement européen qui flatte le penchant des Chinois pour l'exotisme.

Nº 65 - Horloge Anglaise du 18ᵉ siècle
Nº 64 - Horloge Française du 19ᵉ siècle

67 | 68 — Horloges Anglaises du 18e siècle
   | 66

Désormais, il devint rare qu'un diplomate, un missionnaire, arrive en Chine sans avoir dans son bagage, non seulement des montres et des horloges, mais également des automates, boîtes à musique, cascades artificielles, à offrir aux Empereurs et dignitaires pour mieux s'introduire. Ainsi, en 1793, à l'occasion de l'anniversaire de l'Empereur Qian Long, Sa Majesté Georges III d'Angleterre lui offre, pour témoigner son amitié, des horloges et des montres apportées par Lord Mac Carteney.

Sous l'impulsion impériale, des ateliers chinois se montent dans différentes villes, telles Souzhou, Canton, qui concurrencent les horloges d'importation. Parmi les créations chinoises les plus prestigieuses, citons l'horloge géante exposée dans le « Palais du Croisement du Ciel et de la Terre » - « Jiaotaidian », situé dans la « Cour Intérieure » de la Cité Interdite, qui est une œuvre de l'atelier impérial.

N° 69 et 70 - Horloges Anglaises du 18e siècle

N° 71 - Horloge chinoise fabriquée à Shouzhou

N° 75 - Horloge fabriquée par l'Atelier Impérial

N° 72 et 73 - Horloges chinoises fabriquées à Canton

74 - Horloge fabriquée à Canton

N° 76 - Clepsydre aux « 8 Trigrammes ».
Le corps, en forme de tambour, est en
cuivre.
La partie centrale comporte 32 lignes de
texte en relief qui expliquent le mode
d'emploi et l'intérêt du clepsydre à eau.
Au-dessus et en-dessous de ces textes
sont gravés les symboles des mutations.
Sur le dessus sont représentés le soleil,
la lune et les « 28 Constellations », séparés des caractères des « 5 éléments »
représentant les « 5 planètes ».
Sur le fond sont gravés 5 dessins divi-
natoires et 5 autres constellations
autour du centre qui symbolise la Terre.

Porte de la Pureté Céleste

Salle du Palais de la Pureté Céleste

Les palais intérieurs

En franchissant l'une des deux portes latérales ouvertes dans le mur septentrional du lieu politique, le « Qian-Chao », on pénètre dans la demeure privée impériale, le « Nei-Ting ». Son plan architectural est divisé en trois blocs : Centre, Est et Ouest, qui sont séparés par deux allées encadrées de hauts murs.

Au centre, trois palais destinés aux usages cérémoniels de l'Empereur et de l'Impératrice. L'appartement personnel de l'Empereur se trouve à l'Ouest du premier palais intérieur; six palais dans l'aile Est et six dans l'aile Ouest abritent les appartements où vivaient l'Impératrice, les concubines impériales et leurs suivantes. Les Veuves des Empereurs défunts ont lcurs appartements dans la ceinture extérieure.

Les trois palais de la partie centrale sont :
— Le Palais de la Pureté Céleste, ou Qianqinggong, qui occupe la position Sud.
— Le Palais de la Tranquillité Terrestre, ou Kunminggong, situé au Nord.
— Le Palais de la Sérénité du Croisement, ou Jiaotaidian, entre les deux précédents.

Le Palais de la Pureté Céleste est le lieu le plus important de cette partie. Jusqu'à la fin du règne de Kang Xi (1723), les Empereurs y vivaient, travaillaient à la lecture des rapports et recevaient individuellement ambassadeurs et dignitaires. A partir de l'Empereur Yong Zhen (1723-1736) les Empereurs préfèrent habiter au Palais de la Culture de l'Esprit, Yangxindian, à l'Ouest du premier, et le Palais de la Pureté Céleste est alors uniquement réservé aux affaires importantes.

Dans la salle centrale de ce palais est disposé un trône au-dessus duquel un panneau, qui a joué un rôle important dans le pouvoir impérial, est accroché sur le linteau.

Ce panneau porte une calligraphie qui signifie « Loyauté - Clarté ». En effet, constatant la lutte acharnée des princes pour obtenir l'héritage du trône, l'Empereur Yong Zhen vit la nécessité de trouver un système secret de désignation du dauphin afin de le protéger et stopper ainsi les crimes et les intrigues à ce sujet.

Désormais, la désignation du successeur de l'Empereur régnant sera inscrite, de sa main, sur un papier scellé qui sera ensuite caché derrière ce panneau. C'est seulement à l'heure de son décès que la Cour, réunie, va découvrir derrière le panneau « Loyauté et Clarté », le nom du nouvel Empereur.

Le Palais de la « Tranquillité Terrestre » ou « Kunminggong » était, à l'origine, sous les Ming (1368-1644), la demeure de l'Impératrice. Durant la dynastie des Qing, il est exclusivement réservé à l'usage de chambre nuptiale que le couple impérial occupera durant trois jours seulement. En temps normal ce palais est un lieu de culte consacré aux divinités propres aux croyances des Mandchous.

Une construction carrée se trouve entre le Palais de la Pureté Céleste et le Palais de la Tranquillité Terrestre, c'est le Palais de la Sérénité du Croisement qui symbolise la rencontre du Ciel et de la Terre. C'est ici qu'on célébrait le couronnement de l'Impératrice. Elle y tenait également ses audiences. 25 Sceaux de l'Autorité Impériale y sont conservés. Réalisés sur décret de l'Empereur Qian Long, chacun avait un usage différent. Le nombre 25 cache un souhait secret de Qian Long : dans l'histoire chinoise, la dynastie dont le règne s'est maintenu le plus longtemps est le dynastie des ZHOU ORIENTAUX (770 à 221 av. J.C.). Le trône fut alors monopolisé par les fils du clan JI durant 25 générations. La tradition dit que cette dynastie a pleinement accompli « le Mandat du Ciel » dans le temps. En effet, selon le Yi king - « Livre des Mutations » - 25 est le nombre de « l'accomplissement » car il est l'addition des nombres impairs fondamentaux du YANG (qui est l'essence de la Vie de multitudes) : un, trois, cinq, sept et neuf. Conscient qu'aucune dynastie ne peut règner éternellement, Qian Long formait ainsi le souhait que le Ciel accorde aux Qing, comme aux Zhou Orientaux d'antan, un règne de 25 générations.

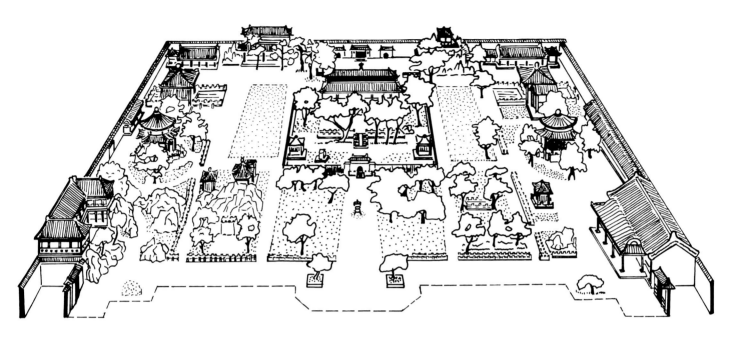

Jardin Impérial

Sur l'axe central, à l'extrémité Nord de la Cité Interdite, se situe le Jardin Impérial - « Yuhuayuan ». C'est un espace vert qui contient les essences, les plantes et les roches les plus précieuses de l'empire. Il est conçu sur un plan symétrique, style équilibré conforme à son rang de premier jardin de l'Empire.

L'idée centrale recherchée dans la conception d'un jardin chinois traditionnel vise en premier lieu à la formation de l'esprit des promeneurs qui y pénètrent. On exige que chaque jardin, tout comme chaque individu de valeur, ait sa personnalité et son expression propre. Le jardin est un support pour l'éveil de la sensibilité de l'homme ; il l'aide à progresser dans sa recherche spirituelle. Mais, l'esthétisme n'en est pas exclu pour autant car la pensée chinoise estime que la beauté et la richesse intérieures sont inséparables de celles de l'extérieur, et que l'idéal de la beauté se confond avec la création naturelle de l'Univers.

Brûle-parfum en bronze en forme de kiosque bouddhique

Soumise à ce critère primordial, la création de chaque jardin chinois est aussi la réalisation d'un petit univers à part qui porte en lui un message approprié. Au sein de ce monde microcosmique les éléments vivants : plantes, roches, animaux, qui le peuplent, chantent à l'unisson, exaltant son expression en dévoilant sa raison d'être. C'est en les abordant avec ces sentiments présents à l'esprit que l'on parviendra à déceler les richesses des jardins de la Cité Interdite, évitant ainsi de tomber dans une vision banalisée et touristique.

L'origine de la construction du Jardin Impérial de la Cité Interdite date de l'année 1417, sous le règne de l'Empereur Yongle de la dynastie des Ming. Pour exprimer l'harmonie primordiale du Yin et du Yang (incarnée par le couple impérial) l'architecte a souligné, avant tout, une concordance parfaite. Tout en disposant des fleurs, des roches et des plans d'eau, il a organisé un équilibre de tous les éléments, représentés par paires, soit sur des axes parallèles, soit en diagonales, qui sont tous porteurs d'une signification symbolique.

Ainsi ce jardin, où le promeneur non averti ne découvre que la beauté des éléments, et le plus sensible y perçoit une énergie harmonieuse, cache une puissance symbolique qui exprime l'ordre de l'Univers.

« Les petits rires des Dragons »

Dans ce petit espace, 90 mètres dans le sens Nord-Sud et 130 mètres d'Est en Ouest, sont présentés les spécimens les plus précieux du monde végétal et minéral provenant de tous les horizons de Chine. Dès que l'on y pénètre on est envahi par la fraîcheur et la tranquillité que dégagent les quelques 160 vieux arbres, pins, cyprès, thuyas, mélèzes, sapins, cèdres..., dont une soixantaine, plantés lors de la construction de la Cité Interdite, ont maintenant de 350 à 500 ans d'âge.

Sur l'axe central, présidant l'espace Nord de la Cité Interdite, se dresse un temple Taoïste, le « Palais de la Paix Impériale » - « Qin an dian », dédié au « Véritable Martial », divinité régnant sur le septentrion. Bâti sur une terrasse bordée d'une balustrade ornée de dragons sculptés, il est coiffé d'une double toiture de tuiles jaunes vernissées; le centre du faîtage est surmonté d'un bouton d'or.

Assortis à la blancheur de la terrasse de marbre blanc, des peupliers à l'écorce blanche sont plantés à chaque angle. Celui de l'Est se dresse comme pour monter la garde, celui de l'Ouest, dont les vieilles racines ondulent sur le sol, porte le nom de « vieil homme couché ».

Le temple, entouré d'un mur bas, forme un jardin dans le jardin, sans pour autant l'isoler de l'ensemble. On y pénètre en franchissant une porte sobre, coiffée de tuiles bleues, et gardée par une paire d'animaux mythiques en bronze doré.

Tout le long du mur bas, de couleur rouge pourpre, s'élève un rideau de bambous à fines tiges dont les feuilles, dites « queues de phénix », frémissent à la moindre brise, produisant un léger bruit de froissement que l'Empereur Qian Long décrit comme « les petits rires des dragons ».

En contraste avec les bambous fins, on a dressé des stalagmites dont la stabilité et le silence minéral épousent merveilleusement le mouvement incessant du feuillage.

Kiosque « Panorama Impérial »

Les Kiosques du Jardin

L'une des particularités dans l'aménagement d'un jardin chinois est la beauté et la diversité des kiosques qui le parent. Le Jardin Impérial en comprend douze, répartis en six paires de styles différents. Ils sont circulaires, carrés ou rectangulaires ; certains se dressent au sommet d'une colline, d'autres enjambent un bassin. Chaque paire étant disposée de part et d'autre de l'axe central, comme pour se faire écho.

— Le kiosque « Dix mille Printemps » et son double, « Mille Automnes », portent une toiture ronde, symbole du « Ciel », et une base carrée qui symbolise la « Terre ». Ils sont construits à l'image du « mandala » : le cœur et ses expansions dans les 4 orientations. Ces deux kiosques décorés sont surélevés par des terrasses en marbre blanc. Les colonnes cylindriques et les cloisons sculptées sont laquées de rouge, tandis que leur double toiture cannelée, aux tuiles jaunes vernissées, est surmontée d'un dais bouddhique. Tous deux sont entourés de vieux arbres dont les plus extraordinaires sont des cèdres enlacés.

Deux arbres dont les troncs se rejoignent à hauteur d'homme où ils se sont soudés pour ne plus former qu'un seul arbre, prennent ainsi l'aspect d'un portique qui, en premier plan, double l'une des portes du kiosque. Il conduit le regard à se porter sur le cadre végétal paré de verdure puis sur la porte rouge vermillon ouverte sur l'intérieur sombre du kiosque, pour s'évader enfin dans le paysage lumineux perçu à travers l'ouverture de la porte opposée du kiosque.

— Les kiosques « Emeraude flottante » et « Limpidité éminente » sont construits sur l'eau dans un style sobre et aéré qui s'accorde bien avec leur nom inscrit en caractères chinois et mandchous sur le linteau frontal. Ces kiosques forment en réalité des ponts de pierre qui enjambent chacun un bassin rectangulaire où les nénuphars abritent les ébats d'une multitude de poissons rouges, attirant irrésistiblement le regard des visiteurs vers le bas.

Hauts de sept mètres, ces deux kiosques sont ouverts aux quatre vents. Ne possédant ni

Scène en petits galets de couleur ornant une allée

murs, ni cloisons, ils présentent l'avantage de ne pas boucher la perspective mais n'offrent aucune surface à décorer. Aussi, tout l'art ornemental est-il concentré sur le plafond. Lorsqu'on lève la tête, on peut admirer un merveilleux assemblage de caissons qui encadre des motifs floraux peints avec une grande finesse. Autour des kiosques, des roches érodées, aux formes insolites, sont simplement présentées sur des socles. Elles invitent à une réflexion sur l'oeuvre du « Temps », artiste suprême qui sculpte et transforme tous les éléments.

— Les deux plus petits kiosques du Jardin Impérial sont ceux qui abritent des puits. Les puits sont nombreux dans la Cité Interdite, mais ceux-ci se distinguent des autres par la richesse de leur décoration, le choix des couleurs et des matières, en harmonie avec l'ambiance du lieu.

— Avec le belvédère « Accueil du Couchant », qui se dresse dans l'angle Sud-Ouest, le kiosque « Panorama Impérial » domine le sommet d'une petite colline artificielle située au Nord-Est du jardin. Leur ascension permet de contempler le paysage jusqu'à l'horizon.

A l'origine, il n'y avait aucun relief dans l'espace plat du jardin. Or, pour composer un paysage chinois, il est impensable que les deux éléments essentiels et complémentaires de la Nature, montagne et cours d'eau, soient absents. Aussi, l'architecte a-t-il amené l'eau de la rivière qui encercle le Palais pour créer deux bassins, et amoncelé des rocs aux formes curieuses pour élever une colline. Couvrant une très petite surface, elle monte ingénieusement à pic, méritant bien son nom « entassement raffiné ». Au pied de cette colline s'ouvre une porte-grotte couverte de mousse et de plantes grimpantes. Une fontaine à tête de dragon se penche au-dessus de l'entrée qui mène jusqu'au sommet par un cheminement intérieur.

Les roches entourant ce kiosque sont des plus curieuses. Elles ont été choisies pour leurs formes qui évoquent des animaux : coq, chien, cheval, tigre... qu'on appelle « les 12 animaux de l'horoscope chinois ».

Dans la coutume chinoise, chaque année, le 9e jour du 9e mois lunaire, on célèbre la fête de l'Ascension. Ce jour-là, chacun grimpe sur une hauteur pour présenter ses souhaits aux parents et amis partis au loin. A cette occasion, la famille impériale montait, dans la Cité Interdite, sur le kiosque « Panorama Impérial » pour contempler le lointain, conformément à la tradition.

Au printemps, lorsqu'on se promène dans le Jardin Impérial en suivant les allées dallées de petits galets de couleur formant des tableaux, on a le plaisir de s'arrêter pour contempler les massifs de somptueuses pivoines.
La pivoine est considérée, dans la tradition, comme la reine des fleurs. L'appréciation des variétés est basée sur la couleur et le nombre de pétales sur une même fleur. Les 200 pieds de pivoines qui ornent le Jardin Impérial ont des fleurs à 17 pétales. Mais on les classe également en fonction du nombre de fleurs portées par un seul pied. La légende veut que si un pied de pivoine donne cent fleurs, il attirera la visite d'un apsara - déesse des fleurs.

Il existe une variété de pivoines, très rare, que l'on appelle « Pivoine d'encre », dont les pétales sont d'un violet si foncé qu'il est presque noir. Dans le Jardin Impérial ces pivoines d'encre forment un massif devant le belvédère « Accueil du Couchant ».

Accompagnées de stalagmites blanches et de fins bambous verts, l'ensemble compose un tableau vivant d'une telle beauté dans la lumière du couchant qu'aucun artiste ne parviendrait à l'exprimer.

En toute saison le Jardin de l'Empereur était en fleurs. Lorsque le temps de floraison était passé pour les plantes et les arbres du jardin, on y exposait des fleurs qui, en tout temps et de toutes les régions de Chine, parvenaient à Pékin par le Grand Canal qui relie la capitale aux régions du Sud. Ces fleurs en pots étaient des prunus, en janvier; les camélias en février... des grenadiers, osmantus, orchidées... Mille espèces des plus précieuses étaient réunies dans ce petit jardin qui veut être la meilleure sélection de la Nature tout entière.

La Salle du Règne derrière le rideau

Yanxin Dian : Palais de la Culture de l'Esprit et le Règne derrière le rideau de Ci Xi

Le Palais de la Culture de l'Esprit, situé à droite du lieu le plus important de la « Cour Intérieure », le Palais de la Pureté Céleste, était la demeure personnelle des Empereurs de la dynastie des Qing. De 1861 à 1908, les ministres des Qing vont présenter leurs rapports à deux Empereurs en bas-âge, les Empereurs Tong Zhi, puis Guang Xu, dirigés par l'Impératrice Douairière Ci Xi, au Palais de la « Culture de l'Esprit ». Ce changement de lieu où se tient l'Audience est dû aux Impératrices Douairières qui n'avaient pas, selon la loi des

Qing, accès au Palais de l'Harmonie Suprême - dans la partie méridionale de la Cité Interdite - où siégeaient habituellement les Empereurs pour les Audiences Etatiques.

Le Palais de la Culture de l'Esprit était un lieu de séjour personnel des Empereurs. Pendant la période célèbre de « Règne derrière le Rideau », la salle avait été spécialement aménagée à cet effet : au milieu de la pièce un petit trône, occupé successivement par les deux Empereurs-enfants Tong Zhi puis Guang Xu. Derrière ce petit trône, voilé du plafond jusqu'au sol par un rideau jaune d'or semi-transparent, un large trône destiné aux deux

Impératrices Douairières Ci Xi et Ci An. Ainsi dissimulées à la vue des ministres qui viennent présenter leurs rapports, elles les écoutent, posent des questions et donnent les ordres pour l'exécution des affaires importantes du gouvernement.

Officiellement, Ci Xi partage le pouvoir avec Ci An qui est l'Impératrice Douairière du Palais de l'Est, donc du premier en rang. Mais Ci An, qui n'entend rien aux affaires politiques ni aux intrigues du Palais, laisse volontiers toute la charge et les responsabilités à sa consoeur Ci Xi.

Durant les 48 années de sa vie de régence, Ci Xi a vécu les heures les plus dramatiques de la Chine. Son nom est associé aux grands événements : la Guerre de l'opium, la Révolte des Boxers, le Sac du Palais d'Eté par les armées des huit Alliés... qui ont accéléré la chute de l'Empire Chinois survenue seulement trois ans après la mort de Ci Xi.

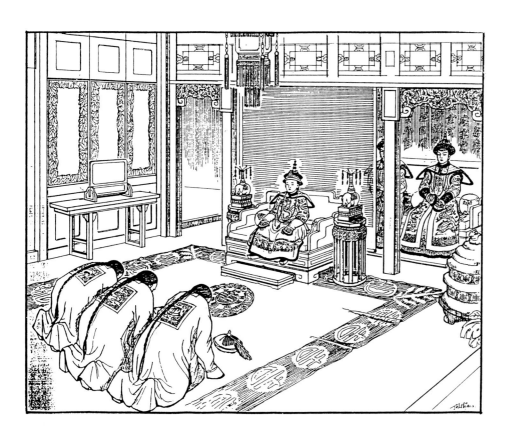

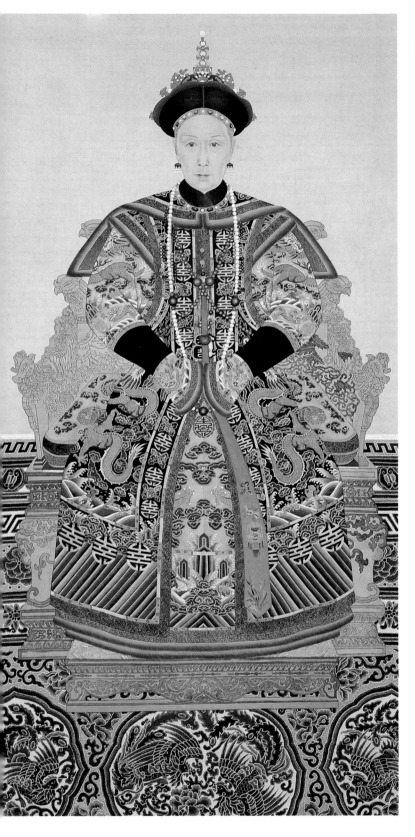

N° 11- Portrait de Ci Xi,
l'Impératrice XIAO GING XIAN
(1835-1908)

Ce portrait, réalisé par l'Académie Impériale de Peinture, montre Ci Xi, déjà âgée, dans sa tenue d'audience.

Coiffée d'un chapeau orné de « Phénix », elle porte une robe d'hiver jaune d'or garnie de fourrure de vison. Ce costume somptueux est assorti de trois colliers: un collier de perles et deux de coraux, accessoires exigés par la règle protocolaire pour les cérémonies étatiques.

Née YIHE-NALA, nom mandchou d'une famille de petite noblesse, appartenant au Clan de la Bannière Jaune à galon, Ci Xi était orpheline de père. Elle entre au service du Palais Impérial à l'âge de 16 ans, à l'occasion d'un recrutement de concubines impériales en même temps que de nombreuses autres jeunes filles. (Pour choisir des jeunes filles qui seront affectées au service du Palais, la Cour organisait, tous les trois ans, un recensement des filles mineures, de sang mandchou et mongol, dans les familles des Huit Bannières).

Ci Xi a, durant sa vie, vécu à elle seule l'expérience des femmes de la Cité Interdite de différents rangs: ayant débuté comme concubine d'un grade inférieur, elle a usé de son intelligence et de son charme pour attirer sur sa personne l'intérêt de l'Empereur XIAN FENG (règne de 1851 à 1861) et se rendre indispensable. En 1854, elle est promue au rang de « Pin » : la « Secondaire ». Comme jeune favorite, elle seconde déjà son Empereur dans la lecture des rapports étatiques et lui donne des conseils. Le destin lui sourit car, à 22 ans, elle met au monde le fils unique de l'Empereur - l'héritier du Trône - ce qui entraîne son ascension au rang Supérieur de Noble Concubine. L'Empereur Xian Feng meurt à l'âge de 30 ans, laissant un héritier en bas-âge à la charge de Ci Xi. Devenue veuve à 27 ans, elle commence désormais sa vie de régence pour son fils TONG ZHI, et acquiert le titre d'Impératrice Douairière.

L'Empereur TONG ZHI (règne 1862-1874) à peine majeur, meurt sans descendant et la Cour met de nouveau sur le trône un enfant, encore plus jeune: l'Empereur GUANG XU (règne 1875-1908), un neveu du défunt.

Parvenu à l'âge adulte Guang Xu tente de prendre le pouvoir et réforme le gouvernement. Mais son coup d'état avorte du fait de la trahison de son allié qui jugea plus favorable de pencher du côté de la toute puissante Impératrice Douairière.

Ne voulant pas commettre le scandale de destituer un empereur, Ci Xi le tient désormais comme son prisonnier personnel. Il est sous surveillance étroite, tant dans le Palais qu'au cours de ses déplacements. Elle eut la satisfaction d'apprendre la mort de Guang Xu juste quelques heures avant qu'elle-même ne rende son dernier soupir, à l'âge de 74 ans.

LA NAISSANCE D'UN FILS UNIQUE : CLEF DE L'ASCENSION DE CI XI

Nous sommes en 1856, le 23ᵉ jour du troisième mois. Une concubine de rang inférieur, une Pin nommée Yi, met au monde le premier fils de l'Empereur XIAN FENG (règne 1851-1861). Cette naissance est un événement de première importance puisque le bébé montera sur le trône de l'Empire du Milieu. Mais aussi Yi Pin, la petite concubine, connaît alors une ascension rapide et usera de son intelligence pour atteindre son ambition : accéder au rang supérieur du Palais. Les circonstances lui permettront de devenir, enfin, le maître unique de la politique chinoise, connue sous le nom d'Impératrice Douairière CI XI.

Les archives du Palais Impérial sont très riches en documents traitant des affaires de l'Empire, mais elles comportent également, en abondance, des notes sur les petits et grands événements concernant les Empereurs et leurs épouses. Voici, extraites de ces archives, quelques lignes qui ont trait au début de l'ascension de Yi Pin.

Yi Pin, concubine de 4ᵉ rang de l'Empereur Xian Feng, a eu le privilège de partager la couche de l'Empereur pendant quelques nuits. Un événement heureux s'est produit : Yi Pin se trouve enceinte du premier enfant de l'Empereur Xian Feng. Elle sort ainsi de l'anonymat et devient une personnalité dans la Cité Interdite, très entourée de soins privilégiés.

Il est dans la tradition chinoise que les actes rituels, en rapport avec la naissance d'un enfant, soient accomplis dès la période prénatale, et cette coutume est valable tant chez une famille princière que dans le peuple.

A l'occasion de la grossesse de Yi Pin les archives rapportent que: trois mois avant la date prévue pour l'accouchement, on creuse un Xikan, Fossé de Bonheur, dans la cour du Palais de l'Elégance Accumulée, devant la pièce lumineuse orientale. Les femmes de la Cité Interdite viennent ensuite réciter le Chant du Bonheur tout en déposant des cadeaux dans le fossé : un coupon de soie rouge, des pièces d'or et d'argent, des objets rituels dits 8 trésors, et une paire de baguettes qui, par homonymie Kuai Zi, symbolisent la naissance rapide d'un fils.

Pour encourager l'enfant à venir au monde, les parents se doivent de choisir un jour faste pour lui envoyer leurs cadeaux.

Dès le premier signe qui annonce que l'accouchement est proche, on se rend dans l'appartement personnel de l'Empereur, au Palais de la Culture de l'Esprit, pour y chercher le Sabre Rituel qui est censé avoir le pouvoir d'écarter les esprits malfaisants qui pourraient s'introduire dans le corps du bébé lors de sa naissance. Faisant office de talisman, il est accroché dans la chambre de Yi Pin.

On place également dans la chambre la Pierre de Naissance Aisée, pierre magique habituellement conservée dans le Palais de la Pureté Céleste. Elle assistera la mère et allègera ses douleurs au cours de l'accouchement.

Le futur Empereur TONG ZHI est né le 23ᵉ jour du 3ᵉ mois, sous la surveillance attentive du médecin de l'Académie Impériale.

Aussitôt que l'enfant apparaît, le médecin pratique le rituel de l'ouverture vocale. Pour ce faire il introduit dans la bouche du nouveau-né une pastille composée de plantes médicinales, dite pilule de Longévité et de Prospérité.

Dès sa naissance, le bébé a un an. Ainsi, comme au Nouvel An tout le monde vieillit d'un an, si l'enfant est né le dernier jour de l'année il est, dès le lendemain de sa naissance, âgé de deux ans.

Les chinois pensent que l'heure et le jour de la naissance d'un enfant ne sont pas le fait du hasard mais le résultat de la convergence de différents facteurs tels que l'influence de phénomènes cosmiques, les signaux héréditaires psychiques et cellulaires de ses parents, les conditions de développement et l'état du fœtus..., toutes causes qui ont une relation directe avec son être en devenir, et déterminent la date et l'heure de la naissance. Ainsi, l'heure de sa venue au monde fournit une indication sur sa nature innée et conditionnera son destin durant toute sa vie.

Le destin de l'enfant s'établit selon l'année, le mois, le jour et l'heure de sa naissance, en fonction de 8 coordonnées, 8 signes, dont 4 résultent des influences célestes sur sa formation, 4 autres des influences terrestres.

Le troisième jour après sa naissance on procède au bain rituel du nouveau-né car, venant d'un autre monde, il est susceptible d'entraîner avec lui des éléments impurs de sa dernière vie qui pourraient être néfastes à sa famille. Pour ce faire on doit le baigner dans un grand bain qui comporte en particulier des pleurotes, ces champignons possédant des facteurs Yang, pour le purifier. Les membres de la famille impériale assistent à ce rituel et offrent de nombreux cadeaux, dits pour enrichir le bain.

La tradition veut que, à l'occasion de cette fête, on offre du millet et du sucre roux, mais, dans la famille impériale les présents sont, bien évidemment, beaucoup plus somptueux. L'Impératrice Douairière, l'Empereur, l'Impératrice et les concubines impériales offrent des bijoux d'or et d'argent, ornés de pierres précieuses.

Le soin de préparer le bain aromatique pour le bébé revient à la sage-femme, mais les assistants y participent en jetant dans l'eau des fruits secs (dattes, lychies, maïs...) des œufs cuits, des pièces d'argent, qui ont la faculté de révéler le poison, tout en disant des paroles de bon augure. Après le bain, tous ces cadeaux reviennent à la sage-femme.

Mais, comme on le devine, il ne peut être question, dans ce contexte, de baigner le bébé à n'importe quelle heure, ni dans n'importe quelle position. Ces deux données seront définies d'après son horoscope, c'est-à-dire à partir de ses huit signes. Le choix sera dicté par les astrologues attachés à l'Observatoire Impérial qui, par des calculs basés sur la conjonction des coordonnées de l'enfant et la marche des étoiles, définiront l'heure à laquelle l'enfant doit être baigné, ainsi que sa position face à une orientation précise.

On peut voir aujourd'hui, exposée dans le temple des Lamas Yonghegong à Pékin, une bassine en bois rouge (Namus Chinancis) merveilleusement sculptée, qui a servie au Bain du 3ᵉ Jour de l'Empereur Qian Long dont le règne a duré 60 ans, de 1736 à 1795.

La seconde fête après la naissance aura lieu le 12ᵉ jour. C'est l'Anniversaire du Petit Cycle de l'Univers, signifiant que l'enfant a triomphé du premier cycle de sa vie. Comme tout a une valeur symbolique en Chine, le nombre 12 représente la multiplication entre le Ciel et la Terre, symbolisés respectivement par les nombres 3 et 4.

Une grande fête sera également donnée pour célébrer le Mois Révolu. Tous les parents et amis y seront conviés, ainsi que les dignitaires privilégiés. C'est à cette occasion que l'on rase les cheveux du bébé afin qu'ils repoussent avec plus de vigueur. (Signalons que c'est la seule fois, durant toute la vie d'un chinois ou d'une chinoise que l'on coupe ses cheveux. En effet, la tradition accorde une grande importance aux cheveux. Considérant qu'ils sont un don respectif du père et de la mère ils doivent, de ce fait, être conservés intacts. Les mandchous ont la même tradition à la différence près que, s'ils conservaient une longue natte, ils se rasaient le front).

Le bébé sera vêtu de l'habit de fête et portera des bijoux talismans: collier en argent en forme de cadenas, pour l'enchaîner à la vie; bracelet avec des grelots, pour éloigner les mauvais esprits; des sapèques accrochées à la ceinture, pour attirer la richesse...

Un an après la naissance on fête officiellement l'Année Révolue. On procède alors à l'Examen de l'Année Révolue. Pour ce faire on dispose sur un plateau, devant l'enfant, des objets miniature: livre, pinceau, flèche, sceau d'autorité, boulier... et l'on déduit son penchant et son avenir d'après celui qu'il saisira en premier. Les archives impériales rapportent que Tong Zhi, le futur Empereur, a saisi successivement un livre, une flèche et un pinceau.

Au cours du festin qui sera offert à l'occasion de cette fête, on servira toujours un plat de nouilles très longues, symbolisant la longévité.
Ce même bébé deviendra Empereur de Chine à

l'âge de 6 ans, à la suite de la mort de son père, l'Empereur Xian Feng. Il prit pour nom de règne Tong Zhi qui signifie littéralement Ensemble - Règne, nom qui symbolise la régence assurée par ses deux mères en tant qu'Impératrices Douairières. La première était l'épouse officielle de feu l'Empereur, la très douce Impératrice Douairière du Palais de l'Est; la seconde, Ci Xi, veuve à 27 ans, débordante d'énergie et d'ambition, est la mère de l'Empereur-enfant, promue maintenant au rang d'Impératrice Douairière du Palais de l'Ouest. Ensemble elles devraient signer les décrets impériaux jusqu'à la majorité de Tong Zhi. Malheureusement l'Empereur Tong Zhi meurt avant d'atteindre ses 20 ans, sans laisser d'héritier. La décision est alors prise par la Cour d'élire son neveu, Guang Xu, âgé de 4 ans, comme nouvel Empereur et de confier à nouveau la régence du gouvernement aux deux grand-mères.

Pipe à eau (n° 51)

Les pipes à eau sont très répandues dans la Chine du Sud où elles sont de différentes matières naturelles : bambou, os, bois, calebasse... Quand à la pipe à eau en bronze elle est connue, dans le Nord, depuis la dynastie des Sui (6e siècle), où elle aurait été introduite à partir du Moyen Orient.

Dans la Cour des Qing son usage est tardif. Avant l'Empereur Dao Guang, la mode était au tabac à priser que l'on mettait dans de petits pots finement décorés.

C'est Ci Xi, qui n'aime fumer que la pipe à eau, qui préconise cette mode vers le milieu du 19e siècle. Sous son influence les Empereurs, Impératrices et Concubines Impériales adoptent son usage, laissant ainsi une riche collection au Musée de la Cité Interdite. Ces pipes, en argent ou bronze cloisonné, sont de véritables œuvres d'art fabriquées à Souzhou, Canton, au Yunnan ou à Pékin. Les meilleurs tabacs, appelés « cao-yen » proviennent du Sud.

Vue plongeante sur les Palais Intérieurs de l'Ouest

Les six Palais de l'Est et les six Palais de l'Ouest

Les demeures des épouses de l'Empereur sont situées à l'Est et à l'Ouest des Trois Palais Intérieurs. Ces quartiers sont séparés du bloc central par deux longues allées et délimitées par un mur pourpre. Les deux ensembles de demeures des Epouses Impériales se nomment les 6 Palais de l'Est et les 6 Palais de l'Ouest.

Selon le plan d'origine de la dynastie des Ming, ils sont symétriques. Chacune des 12 demeures comprenait deux blocs entourés d'un mur d'enceinte. La porte principale s'ouvrait sur la façade Sud, marquant l'axe central des constructions. Cette ouverture était doublée par un mur-écran voilant la vue de l'intérieur. Le bloc de devant, qui comprenait un bâtiment plus élevé muni d'une toiture du style des Palais, servait aux réceptions. Encadré de deux petites ailes, à gauche et à droite, l'ensemble formait ainsi une cour centrale. Le bloc arrière, plus intime, se composait d'une série de constructions comprenant des chambres à coucher et des salles de séjour personnelles, ainsi que plusieurs pièces dans les ailes, formant une deuxième cour. L'ensemble de chaque demeure comptait 22 pièces et un ou deux puits.

En plus de ces 12 demeures de prestige, il y avait des pavillons plus modestes situés au Nord des Palais de l'Est et de l'Ouest destinés à des occupantes de rangs inférieurs.

Dans ce monde féminin très clos la place suprême revient à l'Impératrice Douairière que l'Empereur, lui-même, se doit de saluer en s'agenouillant. Elle possède, en fait, une suprématie hors catégorie et n'habite pas dans ces quartiers des épouses. Elle réside à l'extérieur du centre, dans le Palais de la Tendresse et de la Tranquillité, à l'Ouest de la demeure de l'Empereur.

La vraie maîtresse, qui a la charge de la Maison Impériale, est l'épouse officielle de l'Empereur. Parfois elles sont deux: l'Impératrice du Palais Oriental et l'Impératrice du Palais Occidental avec, néanmoins une prépondérance à l'Impératrice du Palais Oriental.

Viennent ensuite, et dans l'ordre, les concubines impériales selon leur rang:
— une Huang Guifei : Noble Favorite Impériale
— deux Guifei : Nobles Favorites
— quatre Fei : Favorites
— six Pin : (littéralement) Secondaires

Toutes sont les maîtresses de l'Empereur qui ont droit à un Palais ou un pavillon,
— un nombre non fixe de Guiren : Nobles Personnes

— et de Chanzhai : les Présentes = Daying : les Répondantes qui, comme maîtresses secondaires, habitent les annexes des précédentes.

Le rang détermine non seulement la place dans la hiérarchie mais aussi les droits qui lui sont inhérents tels que l'importance de sa demeure, la quantité de nourriture destinée à son entourage, la couleur de ses vêtements et de la vaisselle pour les jours de fête, la qualité des fourrures pour les vêtements d'hiver, le nombre de servantes et d'eunuques qui lui sont affectés... Ainsi, les servantes personnelles, attachées au service d'un appartement, se répartissent comme suit : l'Impératrice Douairière se voit attribuer 12 servantes, les Impératrices 10, les Nobles Favorites Impériales et Nobles Favorites 8, les Favorites ont chacune 6 servantes, les Secondaires en ont 4, les Nobles Personnes et les Présentes en ont respectivement 3 et 2 à leur service.

Enfilade de portes du Palais Intérieur

Petit théâtre dans le Palais de la Préservation de la Culture

Les servantes elles-mêmes sont hiérarchisées. Selon le rang de leur maîtresse, d'abord, et suivant les travaux auxquels elles sont affectées. Celles dont le service s'effectue dans l'appartement ont un rang plus élevé que celles chargées des gros travaux et qui n'ont pas accès aux chambres et aux salons du Palais. Toutes sont sélectionnées parmi les filles des domestiques du Palais où elles entrent à l'âge de 13 ans et retournent chez elles à 25 ans pour se marier.

Le service du Palais était une position intéressante pour ces jeunes filles car il leur apportait généralement une dot importante, dons de l'Empereur et de leur propre maîtresse. Il existe cependant des cas exceptionnels où une jeune servante, enceinte de l'Empereur, est devenue concubine impériale.

Ainsi, chaque bâtiment du Palais Intérieur de la Cité Interdite a vécu des histoires particulières, en relation avec ses occupantes. Devenu Musée depuis plusieurs décennies, de nombreux appartements ont été transformés en salles d'exposition où les objets de la vie quotidienne sont maintenant étiquetés et figés dans des vitrines. Cependant, quelques appartements ont conservé en partie leur âme en gardant la disposition des meubles richement ouvragés et des objets précieux. Le visiteur peut encore, à travers les vitres de plusieurs demeures, en particulier au Palais de l'Elégance Accumulée, laisser flâner son regard, son imagination, et déceler quelques souvenirs ou percevoir les ombres parfumées de l'Impératrice Douairière Ci Xi et des nombreuses jeunes femmes qui s'activaient autour d'elle.

« Chuxiu Gong » : « Le Palais de l'Élégance Accumulée » : La vie intime d'une Impératrice

Si l'esprit des morts revient sur les lieux où ils vécurent, il est certain que l'esprit de l'Impératrice Ci Xi doit hanter tout particulièrement, et avec ténacité Chuxiu Gong. Le Palais de « l'Élégance Accumulée », où elle vécut une jeunesse heureuse comme favorite de l'Empereur, et une vieillesse de puissance, comme Impératrice Douairière, abrite ses souvenirs de femme qui, dans la vie quotidienne, représentent le summum de luxe et de raffinement du bien-être à la chinoise.

L'architecture du « Palais de l'Elégance Accumulée », date du 15e siècle, mais les décors et ornements que nous voyons aujourd'hui ont été réalisés pendant la deuxième année du règne de Guang Xu, où Ci Xi, Impératrice Douairière, fête son 50e anniversaire en grande pompe. A cette occasion le Palais de l'Elégance Accumulée fut entièrement refait à neuf.

La demeure de l'Impératrice Douairière Ci Xi comprend deux blocs de bâtiments. Le bloc Sud, « Tihe dian » ou « Palais de l'Harmonie du Corps », où elle prend ses repas; le bloc Nord, « Chuxiu gong » « Palais de l'Elégance Accumulée » est un lieu plus intime où est située sa chambre.

Le Palais de l'Elégance Accumulée comporte cinq pièces. Au centre, une grande pièce dans laquelle se trouve un trône: c'est là que Ci Xi reçoit les salutations des membres de la famille impériale lors des jours de fête. Elle communique, à l'Ouest, avec le vestibule donnant accès à la chambre qui se trouve à l'extrémité. La pièce centrale communique, à l'Est, avec une salle de séjour très lumineuse. Ci Xi vient s'y reposer sur un lit-divan en briques bâti contre les fenêtres. Assise en tailleur dans l'angle Est, elle peut apercevoir tout ce qui se passe dans la cour. C'est ici

qu'elle reçoit quotidiennement les salutations de l'Empereur et de l'Impératrice.

Outre les trois « Mingjian » « Pièces lumineuses », il y a deux « Anjian » « Pièces sombres ». Celle de l'extrême Est est une chapelle dédiée au bodhisattva de Grande Compassion, Guanyin, dont la statue de porcelaine blanche préside. Ci Xi, qui est une fervente bouddhiste, s'y rend dès qu'elle a un problème, y brûle des bâtons d'encens et prie dans l'espoir d'être éclairée par la divinité. Souvent, d'après les souvenirs de ses servantes, elle reste immobile pendant de longues heures, face à Guanyin, tenant en main un rapport ou une remontrance d'un ministre.

Mais Ci Xi n'est pas monothéiste et, en d'autres occasions, elle vénère les Mânes multiples de la croyance mandchoue.

La deuxième pièce sombre, à l'Ouest, est sa chambre. Un grand lit en briques couvert de matelat est voilé par une tenture dont l'épaisseur et la matière diffèrent selon les saisons : ainsi, la tenture d'été est en gaze transparente, tandis que celle d'hiver, qui doit conserver la chaleur, est en fourrure d'hermine. C'est dans la chambre que Ci Xi se fait coiffer et maquiller: une table de toilette placée près de la fenêtre renferme les secrets de sa beauté et elle prépare elle-même ses fards les plus sophistiqués. Un coffre à peignes et accessoires divers pour les soins des cheveux y est déposé. A proximité, placé sur une console, un petit coffre renferme ses bijoux préférés. Ci Xi accorde beaucoup d'importance aux soins de beauté, les considérant comme partie intégrante de la vie féminine; elle apprécie également que les autres femmes, surtout celles de son entourage, prêtent attention à leurs soins esthétiques.

Le Palais de l'Harmonie du Corps, qui forme le bloc Sud, comprend aussi cinq pièces, réparties sur le même plan architectural. Deux phénix en bronze, dressés dans la cour, en gardent l'entrée. C'est là que Ci Xi prend quotidiennement ses repas et donne ses festins.

Les personnes qui se rendent au Palais de l'Elégance Accumulée, situé au Nord, doivent le traverser par la grande pièce centrale. La salle à manger personnelle de Ci Xi occupe les deux pièces orientales qui communiquent, tandis que les deux pièces occidentales sont isolées des autres par des cloisons de bois richement sculptées. Après le repas, Ci Xi s'y rend pour boire une tasse de thé et fumer une pipe à eau. C'est pour elle un moment de détente. En hiver elle s'y assoie près du brasero et contemple la danse des flammes à travers la grille de bronze sculptée.

A l'occasion des jours de « Célébration de Saison », trois tables, chargées de mets exquis, sont dressées dans trois pièces du Palais de l'Harmonie du Corps: la grande salle centrale et les deux pièces orientales.

La table « pour le Ciel » est dressée dans la pièce à l'extrême Est du Palais, la table « pour la Terre » dans la salle centrale, enfin, la table « pour l'Homme » dans la pièce située entre les deux précédentes.

Les tables dressées pour le Ciel et la Terre sont présidées par des tablettes qui les représentent, tandis que l'Impératrice Douairière Ci Xi, en personne, préside la table pour l'Homme. Elle sera seule pour prendre son repas, comme l'exige la tradition, à savoir qu'un souverain est tenu de prendre son repas en solitaire.

Brûle-parfum en forme de phénix et de grue dans le Palais de « l'Élégance Accumulée »

L'ART D'EMBAUMER SA DEMEURE

Dans l'appartement de l'Impératrice Douairière Ci Xi, six grands plateaux de fruits frais sont en permanence disposés sur les étagères et les consoles. Ces fruits ne sont pas destinés à la dégustation mais ils sont là pour embaumer sa demeure. De même, presque toutes les pièces de la Cité Interdite sont constamment parfumées, le plus souvent en brûlant des bâtons d'encens ou simplement par des fleurs de saison. Ci Xi, qui trouve l'odeur de l'encens trop envahissante et le parfum des fleurs trop suave, préfère la subtilité du parfum des fruits frais qui apporte une note agréable et délicate à son cadre de vie. Son choix peut également s'expliquer d'une autre manière car, étant sensible à l'expression symbolique des choses elle croit à leur influence: une fleur est éphémère et son parfum, si agréable soit-il, exprime la stérilité; tandis qu'un fruit, matrice de graines, est porteur de vie et son parfum aspire à la fécondité.

La totalité des fruits disposés dans les plateaux était régulièrement renouvelée, le deuxième et seizième jour de chaque mois, par les jeunes servantes du Palais de l'Elégance Accumulée. C'était pour elles des moments heureux car ces fruits,

sélectionnés parmi les plus délicieux, une fois ôtés des plateaux, leur appartenaient de droit. Elles pouvaient alors les consommer ou les offrir à leurs amies et aux membres de leur famille.

D'autre part, la présence de tous ces fruits provenant des différentes régions de la Chine et réunis dans la Cité Interdite, demeure du Souverain, cache un symbolisme profond. En effet, dès l'antiquité, le Souverain recevait en tribut des fruits provenant de chaque portion de son territoire. Ces produits représentent l'essence emblématique de chaque région.

La pensée chinoise reconnaît une relation entre le milieu physique et la nature des êtres qui y vivent, hommes, animaux et même plantes. D'où la notion que chaque région du monde produit des espèces qui s'accordent à ses vertus intrinsèques, les hommes, comme les produits, étant à l'image du souffle de leur environnement.

Autrefois, les spécialités régionales entraient dans le régime alimentaire du Souverain qui recueillait ainsi l'essence de tout ce qui est vie dans l'Univers. Absorber l'essence provenant des différentes directions était un moyen de s'intégrer à l'ordre cosmique et d'être en harmonie avec les éléments hétérogènes de la nature.

54

Portrait de l'Impératrice Douairière Ci Xi par Katherine CARL, peintre Américaine qui a fait plusieurs portraits de l'Impératrice Ci Xi aux alentours de 1904.

53 - 54 - Robes usuelles de femmes

55 - Chaussures de cour

53

55

Costumes et bijoux

Sous les Qing, femmes Mandchoues et femmes Han (Chinoises) se côtoient dans les rues de Pékin, mais on les distingue de loin tant leur style de vêtement, de coiffure, de chaussures, ainsi que leur démarche diffèrent totalement. Les Mandchoues portent des robes longues, de coupe droite, des chaussures à hautes semelles, une coiffure hissée au sommet de la tête. Leur esthétique prône la distinction.
Les femmes Han portent des vêtements deux pièces, veste et jupe ; elles ont les cheveux lisses, des chaussures à semelles plates et les pieds bandés. Le charme des femmes Han est tout de finesse et de discrétion.

Bien qu'il n'y ait pas de règle d'interdiction officielle concernant le port de vêtement, les femmes des deux ethnies gardent chacune jalousement leurs traditions. Dans le Palais, la mode féminine est strictement mandchoue, préconisant l'aisance et la luxuriance. Dans leur robe droite, les femmes doivent se tenir ventre rentré et poitrine dégagée.
L'élégance de la démarche dépend en grande partie d'une forme équilibrée de la plante des pieds; une bonne adhésion des pieds sur le sol favorise le bon maintien du corps, tandis qu'une plante des pieds mal formée entraîne un mauvais aplomb du corps. Si le poids du corps repose trop sur les talons, on se penchera en arrière en projetant le ventre en avant, si, au contraire, on s'appuie trop sur les orteils, on aura les jambes arquées. Alors, même si elle a un joli corps, une femme ne pourra pas le mettre en valeur ; sans compter la difficulté de se déplacer dûe au port de chaussures munies de hautes semelles centrales, et une coiffure en forme de plaque horizontale qui souligne l'équilibre et révèle les moindres défauts de l'attitude corporelle.

L'une des occupations majeures des dames du Palais consiste à renouveler leur garde-robe et leurs parures. Cette activité prend une dimension démesurée quand il s'agit de la garde-robe d'une Impératrice et, parmi toutes les Impératrices, Ci Xi était la première du genre. Par contre, elle est foncièrement traditionnelle et n'aime pas la mode occidentale qu'elle a l'occasion de voir sur les épouses des diplomates occidentaux qu'elle reçoit au Palais. Elle juge ces robes inconfortables et peu pratiques avec leurs jupes qui traînent par terre. « En serrant ainsi la taille » disait Ci Xi, « comment peuvent-elles encore manger ? » Ci Xi ne porte jamais deux jours un habit. Chaque matin elle change d'abord de sous-vêtements et met par-dessus une robe courte avec des chaussures à semelles plates. Une fois la toilette terminée, elle choisira sa robe du jour et les bijoux assortis pour se rendre à l'audience matinale.

Après l'audience, elle a l'habitude de faire une promenade dans le Palais. Pour cela, elle enlève sa lourde parure. Une servante lui présente aussitôt un miroir, d'autres l'aident à ôter ses bijoux qui seront renvoyés immédiatement dans les coffres de l'Office de Joaillerie du Palais. Elle pare alors ses cheveux de petites épingles en forme de libellules, papillons, fleurs... et change ses chaussures à hautes semelles pour des semelles plates. Elle se promène à pied ou en chaise à porteurs légère.

L'après-midi, au réveil de sa sieste, Ci Xi refait sa toilette. On lui présente une corbeille de fleurs fraîches pour qu'elle choisisse celles qui pareront ses cheveux, puis elle jettera son dévolu sur une robe de soie, belle et simple, pour l'après-midi.

Pour les réceptions, Ci Xi recherche souvent un style spectaculaire pour impressionner. Un courrier de l'époque note: « lors d'une réception offerte aux épouses des diplomates occidentaux, en avril 1903, Ci Xi a mis une robe qui se veut informelle, le satin jaune d'or est brodé de motifs de Phénix en plumes de paon ; sur le bec des paons sont fixés des pendentifs en perles fines; la coiffure est piquée de perles fines grosses comme des œufs de cailles, enfin un Phénix de jade tenant neuf filets de grosses perles qui scintillent d'une

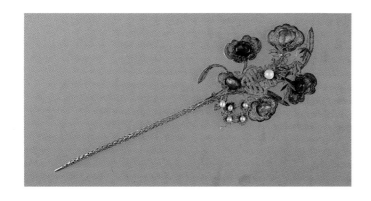

lumière douce à chaque mouvement de
l'Impératrice ».

En général, pour les réceptions étatiques, la
première femme de l'Empire est tenue de
revêtir un costume de couleur « jaune radieux »,
mais Ci Xi trouve que le jaune ne met pas son
teint en relief ; ainsi le 28 mai 1903, pour la
réception d'un amiral américain, elle a rejeté la
trentaine de costumes d'audience et se pare, en
dépit des prescriptions de la loi des Qing,
d'une robe de soie bleue brodée de « Cent
papillons », sur laquelle elle porte un gilet court
de couleur mauve agrémenté de nombreuses
enfilades de perles; sa coiffure est ornée d'une
paire de papillons en jade blanc, les mêmes
motifs décorant ses bracelets et ses bagues.
Aux doigts, elle porte des protège-ongles en
jade et or. Au milieu de toutes ces précieuses
parures, elle intercale des fleurs blanches et
parfumées de jasmin, sa fleur préférée, qu'elle
interdit aux autres femmes du Palais de porter.
Les personnes chargées de la garde-robe de
Ci Xi ont fort à faire. Lorsqu'elle se rend au
Temple du Ciel pour y présenter des offrandes,
les cérémonies de prière pour « la Bonne
Pluie » durent 4 ou 5 jours; les responsables de
ses vêtements doivent, pour cette seule
occasion, préparer une cinquantaine de
costumes avec les accessoires assortis, le tout
contenu dans une cinquantaine de valises.

57 - Épingles de cheveux

Repas de fête en famille

A l'occasion des fêtes saisonnières, l'Empereur mange en famille ; le repas est servi dans le Palais de la Pureté Céleste.

Devant le trône de l'Empereur une table est dressée pour lui seul. Son menu, appelé « Mand-Han qunxi » - « Menu complet de gala Mandchou-Chinois » - compte 109 plats, les principaux sont : 20 entrées froides, 20 plats chauds, 4 plats de légumes, 4 potages, 28 sortes de desserts, plus le riz, des nouilles, du pain, des galettes...

Les autres tables sont disposées à l'Est et à l'Ouest de l'Empereur. La première table, à l'Est, est pour l'Impératrice ; elle a droit à un siège ; les autres tables, pour deux personnes, sont destinées aux princes et princesses et aux concubines impériales, qui sont tenus de manger debout.

Dès que l'Empereur s'assoit, le repas commence. Les plats froids sont déjà servis, les plats chauds arrivent ensuite. Ils sont moins nombreux sur les autres tables que sur celle de l'Empereur, les plus modestes n'ayant droit qu'à 15 plats chacun.

La vaisselle est également hiérarchisée; elle se distingue selon les matières : or, jade, argent, porcelaine, cloisonné...

Il existe de célèbres « Fours » dans les différentes villes de Chine destinés uniquement à la production de porcelaine pour la Cour. Quant à la couleur, elle est ainsi attribuée :

— vaisselle en jaune radieux pour l'Empereur et l'Impératrice.

— vaisselle à fond jaune et motif de dragons verts pour les concubines impériales de 1er grade.

— vaisselle bleue à dragons jaunes pour les concubines impériales de 2e grade. - vaisselle verte à dragons pourpres pour les 3e grades.

— vaisselle multicolore à dragons rouges pour les 4e grades.

43 - Porcelaine de la Famille « Jaune Impérial »
réservée à l'usage de l'Empereur

Les ustensiles de cuisine sont également en or et en argent. A l'époque de l'Empereur Dao Guan, l'Empereur réputé être économe, sa cuisine comptait plus de 3 000 objets en or et en argent représentant 140 kg d'or et 1250 kg d'argent.

Certains festins ont fait date, en particulier ceux des anniversaires de l'Empereur Kang Xi et de l'Empereur Qian Long. Par exemple, en 1796, l'Empereur Qian Long qui était âgé de 86 ans, fait dresser 800 tables dans le Palais de la Pureté Céleste et le Palais de la Longévité et de la Tranquillité, et invite au banquet 5 000 hommes, de toutes catégories sociales et de toutes provinces, âgés de plus de 60 ans.

32

33

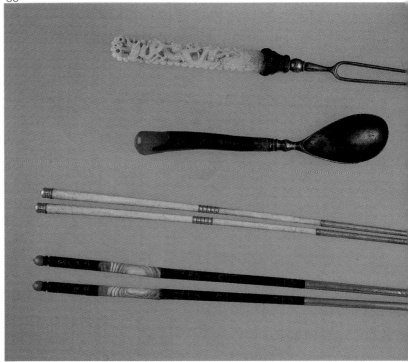

46

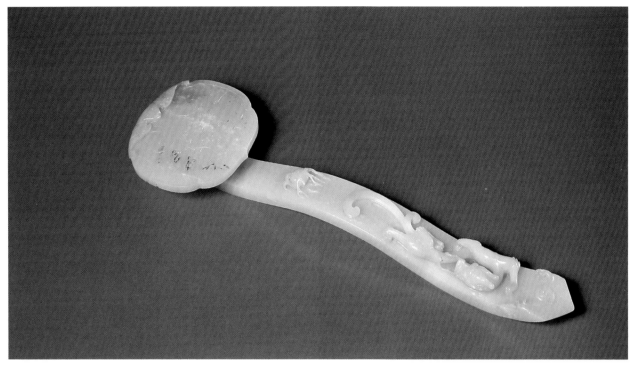

96/26 - Sceptre en Jade

Jade : objets rituels et objets décoratifs

De tout temps les Chinois furent de grands amateurs et collectionneurs d'objets en Jade. Le plus grand était l'Empereur lui-même, comme en témoignent les nombreuses pièces dans les collections du Palais Impérial.

L'art de la sculpture du Jade a connu un grand épanouissement à l'époque des Qing. La création des œuvres, libérée de sa tradition rituelle, est alors plus diversifiée. Durant l'époque de Qian Long et de Jia Qing (au 18e siècle) des œuvres très esthétiques sont de nature purement décorative ou des objets destinés à l'usage dans la vie courante.

L'encyclopédie de l'ancienne Chine, « Shuo-Wen-Jie-Zi » prête au Jade 5 vertus :

— doux au toucher, il inspire la tendresse

— translucide au regard, il ne dissimule pas ses défauts

— son tintement est sans agressivité mais porte loin, tout comme la sagesse

— il ne peut être plié, même en le brisant : exemple à imiter par l'homme devant les épreuves.

— ne peut être teinté: nature de l'intégrité.

Le Jade est symbole de pureté mais, parfois, ce sont des taches, des impuretés, qui font le charme d'une pièce. Les défauts d'une pièce de jade que l'on aime sont comme les petits travers de nos meilleurs amis, ils la rendent plus intime. Un Jade sans tache manquerait d'attraits, ainsi qu'une personne parfaite.
Il n'existe pas deux pièces de jade qui portent les mêmes taches : certaines forment des traînées de nuages, d'autres des points roses tels des pétales au vent. La variation est infinie et chaque pièce est unique.

Avant que la province du Xingjiang ne soit entrée dans la carte de la Chine, l'Empire Chinois ne produisait pas de Jade. Il était alors importé du Turkestan et, plus tard, de Birmanie. Cependant la Chine a toujours été, de la période néolithique à nos jours, présentée comme un pays de Jade, parce que ses artisans ont su ciseler et sculpter cette pierre dure avec un art consommé.

96/24 - Coupe en Jade

96/27 - Brûle-parfum

Sous l'action du feu, l'encens dégage une senteur agréable et disperse le Qi (souffle) impur du lieu. Il aurait également la propriété de stimuler les fonctions du cœur et des poumons.

34 - Théière en Jade

Objet qui associe l'utilité à l'inspiration philosophique qui se réfère à la célèbre poésie taoïste:

« Mon cœur limpide comme une tranche de glace, dans un pichet de Jade ».

La couleur du Jade varie dans une gamme de verts, jaune-gris, rougeâtre ou blanc. Deux variétés de pierre seulement sont qualifiées de Jade : la Néphrite et la Jadéite.
— La Néphrite est un silicate de calcium et de magnésium. Une fois polie, elle offre un aspect huilé. La principale source de néphrite se situe dans les Monts du Désert de Gobi, à Khotan et Yarkand.
— La Jadéite est un silicate de sodium et d'aluminium. Polie, elle devient translucide.
Dès 1750, la jadéite est importée en grande quantité en Chine depuis la Birmanie, via la province de Yunnan.

La taille est considérée avec autant d'importance que la matière brute elle-même. Pour les Chinois, un morceau de jade ne mérite pas l'admiration avant que le sculpteur ne l'ait transformé en objet.
Le premier travail du sculpteur de Jade consiste à examiner la pierre à l'état brut afin d'en tirer le maximum en fonction de sa forme, sa couleur, ainsi que des fissures et des taches.
L'artiste décide ensuite du sujet et de la forme de l'objet qu'il va créer.
La Jade a des veines comme le bois et le sculpteur doit le travailler dans le sens des veines. Un objet de forme allongée ne peut être taillé que dans une pièce de jade aux veines longues.

Dans les temps anciens, le Jade partageait avec le bronze la place éminente dans les cérémonies rituelles. Les objets en jade, de dimensions moins spectaculaires que ceux en bronze, sont chargés de plus de signification symbolique que ces derniers.
Les Chinois d'autrefois prêtaient au Jade des pouvoirs magiques. Ainsi le « Livre des Rites » de la dynastie des Zhou (1122-770 av. J.C.) prescrit son usage dans les cérémonies:
— pour les sacrifices au « Temple du Ciel », on utilise le « Xiun Qin », ou disque de Jade gris-bleu, percé en son centre.
— le « Chung » (sorte de cylindre à côtés plats) de Jade jaune pour les sacrifices au « Temple de la Terre ».

83-84 - Pinceaux à manche de jade

82 - Porte pinceaux en jade

96/19 - Trois oies de Jade

85 - Enfants musiciens en Jade

— pour les divinités des orientations : des tablettes de Jade vert pour l'Est ; des sceptres de Jade rouge pour le Sud, du Jade blanc en forme de tigre, pour l'Ouest ; du Jade noir, en forme de demi-cercle, pour le Nord.

En dehors des pièces rituelles, on note des pièces emblématiques. Les pendentifs symbolisent les positions hiérarchiques: les costumes et les chapeaux rituels des membres de la Cour sont ornés de pendentifs en jade, la couleur et la qualité de la pierre indiquant le rang de la personne qui les porte.

Un très grand nombre de pièces de jade sont à usage funéraire. Les Chinois anciens croyaient à la survie de l'âme après la mort. Ils entouraient le corps du défunt d'objets précieux pour assurer sa fortune dans l'autre monde. Parmi les pierres précieuses, le Jade est le plus recommandé. Non seulement parce qu'il symbolise la prospérité mais aussi parceque les Chinois croient qu'il a la faculté de protéger le corps de la décomposition.

Les Chinois disent : « le Jade est une pierre vivante, il faut le porter pour qu'il vive ».

Les aristocrates Mandchous portent toujours quelques anneaux d'archer aux doigts, et les femmes, Mandchoues ou Chinoises, des bracelets aux poignets. L'Impératrice Douairière Ci Xi se défaisait chaque soir de sa coiffure, son costume et ses bijoux, afin de reposer confortablement la nuit, mais elle conservait toujours aux bras une paire de bracelets de Jade.

80 - 81 - Appuis-papier en Jade blanc

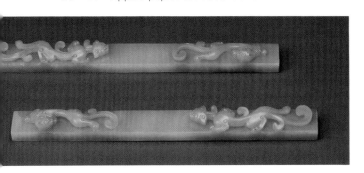

30 - Bonzaï en Jade : jardin de magnolia

La réduction de la nature est la valeur même d'un paysage en pot qui fait oublier la dimension naturelle quotidienne, permettant une remise en cause de la notion de l'Espace coutumier de l'homme.

N° 96/23 - Vase en Jade

LA TOILETTE
DE L'IMPÉRATRICE
ET LES SERVANTES DU PALAIS

Ci Xi accordait une attention particulière aux bains. En eux résidait l'un de ses secrets lui permettant de rester physiquement jeune et de puiser une énergie extraordinaire. Pour elle, un bain de pieds est aussi efficace pour soigner les petites maladies, rhumes, migraines..., que la prise de médicaments. Le service des bains est confié à de jeunes servantes ayant suivi une formation très particulière. En effet, dans la Cité Interdite, chaque maîtresse de Palais, princesse ou concubine impériale, possède ses secrets de beauté jalousement gardés. Seules ses servantes les plus intimes les connaissent.

Ci Xi prend ses bains la nuit, exclusivement, après la fermeture du Palais de l'Elégance Accumulée, lorsque tous les eunuques se sont retirés. Le médecin de service du jour, de l'Académie de Médecine Impériale, est tenu, comme l'exige la coutume du Palais, d'offrir quotidiennement à l'Impératrice Ci Xi une « Ordonnance de Paix », dont le contenu est établi en fonction de la saison, des conditions climatiques du jour, et de l'état physique de sa majesté. En général ces ordonnances ne sont pas utilisées, mais cette routine oblige, en réalité, les médecins à suivre de près l'état de santé de leur Souveraine.

En été l'Impératrice Ci Xi prend un bain journalier, et tous les trois jours en hiver. Le soir, à « l'heure du Chien » (à partir de 19 heures), on perçoit le son clair du petit gong du veilleur de nuit qui fait sa ronde et passe dans l'allée occidentale de la Cité Interdite. C'est l'heure de la fermeture des portes des demeures du Palais Intérieur. Juste avant cette fermeture, les eunuques apportent au Palais de l'Élégance Accumulée le nécessaire du bain: bassines, récipients d'eau chaude, serviettes, savon, eau de Cologne..., disposés sur deux plateaux géants. Simultanément, de jeunes eunuques apprentis y déposent des friandises destinées aux veilleuses de nuit qui seront en poste devant et à l'intérieur de la chambre de

l'Impératrice. Les eunuques quittent aussitôt les lieux car les règles impériales exigent que chaque demeure du Palais Intérieur soit isolée.

Ainsi, chaque soir, un vieux chef eunuque doit désigner des subordonnés pour le service du jour et les conduire au bureau du Grand Intendant - à l'époque du règne de l'Impératrice Douairière Ci Xi, après qu'elle eut dépassé la cinquantaine, ce poste était assumé par le fameux eunuque Li Lianying, qui avait une influence certaine sur l'Impératrice, et qui faisait trembler les ministres et les dignitaires. Le Grand Intendant inscrit le nom des responsables de la fermeture et leur donne les consignes de travail. Sous la direction du vieil eunuque, le groupe arrive au Palais de l'Elégance Accumulée, à 20 heures précises, et ferme tous les accès. Durant toute la nuit, deux eunuques monteront la garde devant la porte Sud du Palais de l'Élégance Accumulée, deux seront en poste devant la porte Nord, enfin deux autres feront la ronde, l'un à l'Est, l'autre à l'Ouest.

Le responsable de la fermeture des portes doit remettre les clefs au Grand Intendant qui enregistre chaque jour l'heure à laquelle il les reçoit en main-propre.

Service du bain

Dans le Palais de l'Élégance Accumulée, quatre jeunes servantes, expertes pour le « Service du Bain », guidées par une surveillante, saluent l'Impératrice à la manière mandchoue en mettant un genou et une main à terre. La tradition exige que les jeunes servantes de la Cour s'habillent avec sobriété mais élégance; aussi ne portent-elles jamais de vêtements rouge vif. Leur démarche doit être silencieuse mais vive et elles se parent d'un maquillage très discret qui ne doit laisser apparaître aucun artifice. Leur grâce est telle qu'on les compare à de belles pièces de jade qui émettent une lumière douce, d'une beauté qui ne cherche pas à éblouir.

Ces jeunes filles, sélectionnées dans les familles mandchoues, entrent dans le service du Palais à un âge - entre 13 et 15 ans - où elles grandissent rapidement. Aussi, leurs vêtements de 4 saisons, fournis par l'atelier de couture de la Cour, ne pouvant être portés qu'une seule saison, doivent être renouvelés chaque année. Pour ce faire, les eunuques qui en sont responsables conduisent les jeunes servantes, quatre fois par an, au « service d'essayage » situé dans une aile du Palais Tihe (Harmonie du Corps), où les couturières prennent leurs mesures pour la confection des vêtements, chaussures et chaussettes, destinés à la saison suivante (par exemple, au début de l'été pour les vêtements d'automne...). Pour chaque saison elles auront quatre ensembles de costumes: vestes, pantalons, chemises, gilets, sous-vêtements... Ceux du printemps sont en soie, pour l'été, en crêpe. Tous sont de couleur verte mais de nuances variées ; tandis que pour l'automne et l'hiver ils sont de couleur mauve, en soie ou en satin. Les seules marques de coquetterie permises sont des broderies sur les galons des manches et du col. Ouvragés de leurs propres mains ces ornements sont les seuls éléments qui apportent une touche personnelle à leur habillement en distinguant leur goût, ainsi que leur art dans la broderie. Les quatre jeunes filles au service du bain de Ci Xi sont vêtues et coiffées de même manière, portent la même ceinture et les mêmes chaussures. Leur similitude est poussée jusque dans le moindre détail : les fils utilisés pour retenir l'extrémité des nattes sont de même couleur. Ci Xi, qui est très exigeante sur la propreté, pousse cette exigence au point que chaque jeune fille doit porter un habit neuf à chaque service du bain.

On déploie au sol, sur le tapis, une toile huilée sur laquelle on place une bassine de bain préalablement déposée devant la porte par les eunuques. Les bassines, en bois et argent, ainsi que le fauteuil de bain, méritent une description: conçu spécialement pour le bain, le fauteuil en bois, haut de 35 centimètres, est très large et peu profond. Les quatre pieds, robustes, sont ornés de huit dragons sculptés. Sur chaque pied, un dragon montant, l'autre descendant. Le dossier est mobile. On peut l'enlever ou le changer de côté grâce à un système astucieux de chevilles.

Deux bassines en forme de rognon sont nécessaires pour chaque séance. Elles sont en bois recouvert de plaques d'argent. Une pour le bain du torse, l'autre pour la partie inférieure du corps. En apparence, toutes deux sont identiques mais, un signe secret, gravé sur le fond de celle qui est utilisée pour le torse, permet aux servantes de ne pas les confondre.

Les serviettes sont également hors du commun: finement brodées, elles sont disposées en piles sur des plateaux laqués rouge pourpre, chaque plateau comportant 4 piles de 25 serviettes. Toutes sont ornées de dragons brodés au fil de soie jaune-or, mais le motif est différent selon chaque pile : dragons regardant la lune, dragons jouant avec une perle, dragons crachant de l'eau..., les bords étant brodés de signes de longévité. L'ensemble de ces accessoires évoque déjà, à lui seul, le luxe de la vie impériale.

Ce n'est pas, proprement dit, un « bain » mais plutôt une opération qui consiste à essuyer et masser le corps. Voici un récit extrait d'une interview auprès d'une ancienne servante du Palais: « Les quatre jeunes filles se placent des deux côtés de Ci Xi. L'une d'elles coordonne les gestes des trois autres qui agissent en obéissant aux ordres donnés au moyen d'un code secret que leur chef exprime des yeux et des mains car elles doivent observer un silence total durant toute la séance afin de ne pas troubler ces instants de calme et de détente de leur maîtresse.

Celle qui dirige trempe d'abord la moitié d'une pile de serviettes dans l'eau chaude et, après les avoir essorées, les distribue à ses collègues. D'un geste rythmé, les quatre jeunes filles ouvrent ensemble les petites serviettes et les posent à plat sur une main. Avec des mouvements vifs et précis elles manipulent les serviettes humides en les appliquant sur la peau de l'Impératrice, frottant doucement chaque partie du torse : poitrine, dos, aisselles, bras..., chacune s'occupant d'une partie préalablement déterminée. Le rôle le plus délicat revient à celle qui est chargée du « bain de poitrine ». Tout en travaillant, elle doit retenir son souffle afin que son expiration n'incommode pas sa majesté. Elles changeront sept fois de serviettes pour la toilette du torse.

La séance terminée, la responsable de l'opération frappe légèrement dans ses mains pour prévenir les servantes qui attendent dans la cour. Quatre servantes affectées aux gros travaux pénètrent en silence dans la chambre, changent l'eau refroidie de la bassine et ressortent avec une discrétion totale.

La deuxième étape consiste à savonner le torse avec un savon au parfum de rose, spécialement préparé au Palais pour l'usage de l'Impératrice. Les quatre jeunes filles enduisent les serviettes de savon puis, d'un même mouvement, frottent la peau de Ci Xi. Ensemble elles rejettent les serviettes refroidies, ensemble elles recommencent l'opération avec toujours les mêmes gestes légers, ordonnés du regard.

La troisième étape est le rinçage. Pour ce faire on trempe dans l'eau tiède une nouvelle pile de serviettes. Après les avoir essorées, on les passe délicatement sur la peau. Aucune trace de savon ne doit rester sur le corps car il serait cause de déshydratation et provoquerait des irritations dermiques. Il est à remarquer que, jusqu'à la fin de l'opération, l'eau du bain reste claire car on ne retrempe jamais dans l'eau les serviettes utilisées. Ceci explique que le bain de torse nécessite l'emploi d'au moins 60 serviettes.

Le bain de torse s'achève par une application d'eau de Cologne. Cette « Eau de Fleurs », fabriquée à partir d'essences pures, est appropriée à chaque saison. L'eau de Cologne est appliquée au moyen de tampons de soie imbibés que l'on tapote doucement sur la peau, dans tous les recoins du corps: sous les aisselles, les seins..., afin de resserrer les pores et éliminer l'action du savon.

L'opération terminée, on habille l'Impératrice d'une chemise à manches courtes, en satin blanc, brodée d'une grosse fleur rouge sur la poitrine. Les servantes qui attendent toujours dans la cour entrent pour enlever la bassine et tous les accessoires du « bain supérieur » pour les remplacer par ceux du « bain inférieur » qui s'opère avec autant de minutie que le premier. Il est rare que la toile huilée qui protège le tapis soit aspergée de l'eau du bain tant les gestes des jeunes filles sont précis et efficaces.

La séance s'achève par le soin des mains qui réclame un travail minutieux. Ci Xi avait une passion pour ses ongles et tous ceux qui ont vu ses portraits s'étonnent de leur longueur. Comme tous les chinois, elle croit que la qualité des ongles reflète la santé de chacun. Ils doivent être brillants, sans taches, durs sans être cassants; le cas contraire révèle une faiblesse énergétique du corps, il est temps de consulter un médecin.

Par un long travail de patience on parvient, en les taillant, les brossant, puis en les enduisant d'huile, à leur donner la forme souhaitée. Selon les critères esthétiques on donne aux ongles une forme différente: au pouce, la forme d'une « tuile plate », et celle d'une « tuile ronde » à l'auriculaire. Les soins de manucure achevés, on « habille » les ongles pour la nuit avec des bourses ajustées à la taille et à la forme de chacun d'eux ».

56 - Bassine en bronze émaillé

L'Impératrice Ci Xi possède un nécessaire de manucure exotique, offert par un ambassadeur européen, contenant tous les petits instruments indispensables aux soins esthétiques des mains. Lorsque ces longues et minutieuses opérations successives de toilette sont accomplies, Ci Xi se met au lit, parée d'un pyjama brodé de pivoines rouges, symbole de jeunesse et de printemps. Selon la coutume mandchoue une femme, à 30 ans, ne s'habille plus en rouge ; à 40 ans, elle s'abstient également de porter des vêtements verts. Ci Xi, devenue veuve dès l'âge de 27 ans, s'est vue contrainte de renoncer à tout plaisir et volupté, ainsi qu'au port de vêtements rouges et verts. Mais la tradition chinoise accorde de nouveau, à une personne qui a triomphé de son cycle sexagésimal - c'est-à-dire au delà de 60 ans - des privilèges de coquetterie.

Quand sonne « l'heure du Cochon » (à partir de 21 heures) on ferme l'un des deux battants de l'appartement, ce qui signifie que l'Impératrice est couchée. Cinq jeunes servantes de haut rang assurent alors la veille à l'intérieur du Palais de l'Elégance Accumulée. Elles prennent leur poste, assises sur des coussins posés au sol. Deux jeunes filles sont placées devant l'entrée de l'appartement, munie d'un rideau de bambous, en été, et d'une tenture doublée, en hiver. Elles assurent ainsi la garde jusqu'au lendemain matin et toute personne qui oserait franchir cette porte sans se soumettre à leur contrôle serait condamnée à mort. Une jeune servante est également en poste du côté Ouest, surveillant ainsi les fenêtres de la façade Sud. Une autre reste dans le vestibule, attentive au moindre bruit provenant de la chambre. Enfin, le rôle de veilleuse de la chambre où dort Ci Xi est tenu par celle qui commande les servantes. Attentive, elle est assise à même le sol, à un mètre du lit de Ci Xi qui s'abandonne au sommeil tel un enfant heureux, ceci même dans les périodes de troubles étatiques. C'est probablement cette faculté de sommeil confiant et profond qui est une des causes majeures de son étonnante santé et de l'énergie qui lui permet de monopoliser le pouvoir politique de la Chine.

A l'heure la plus vulnérable du sommeil, la sécurité de l'Impératrice repose entièrement entre les mains de sa veilleuse de chambre. Cela implique qu'elle soit une personne de confiance, vigilante, efficace, et à toute épreuve. C'est aussi une personne influente du fait qu'elle seule a le privilège de s'entretenir la nuit avec l'Impératrice, sans aucun témoin. Lorsque Ci Xi dort, elle doit rester attentive toute la nuit, veillant sur l'état de son sommeil, le rythme de sa respiration, le nombre de fois où elle s'est retournée ou a toussé, ainsi que l'heure de son réveil du matin. Elle doit retenir tous ces renseignements et les rapporter au Grand Intendant qui les transmettra aux médecins de l'Académie Impériale.

Grands eunuques gradés du Palais Impérial du 19e siècle

La classe des eunuques, dont l'existence est liée au régime Impérial, est née avec les harems qui étaient confiés à la garde des hommes castrés. Cette catégorie d'hommes est issue de la couche la plus pauvre de la société. Parfois, certains d'entre eux parvenaient à une situation élevée, jouant un rôle politique influant sur le destin de la dynastie.

La figure la plus remarquable parmi tous est, sans aucun doute, celle de l'eunuque Zheng He, surnommé « les Trois Joyaux ». Grand ambassadeur de l'Empereur Yong Le, de la dynastie des Ming, Zheng He a mené, au 15e siècle, sept expéditions

maritimes dans les eaux de l'Océan Pacifique, atteignant les côtes d'Afrique et du Golfe Persique, ouvrant ainsi triomphalement la voie commerciale maritime pour la Chine.

Les Empereurs Ming sont ceux qui employèrent le plus grand nombre d'eunuques : à l'heure du déclin de leur dynastie (1644) le Palais en comptait encore environ 7 000. A la fondation de la dynastie des Qing, l'Empereur Shun Zhi constatant que l'abus de pouvoir des eunuques des Ming était l'une des causes de la décadence de cette dynastie, a publié un décret, en 1655, interdisant aux eunuques de se mêler aux affaires du gouvernement. Il a également considérablement diminué leur nombre. Vers le milieu de la dynastie des Qing, les archives n'enregistrent plus que 2 600 eunuques dans la Cité Interdite.

En 1911, le régime de la Chine Impériale s'achève avec la fondation de la République. La classe des eunuques est abolie et n'est plus, désormais, qu'un phénomène de l'histoire.

COIFFURE ET TOILETTE DE L'EMPEREUR ET DE L'IMPÉRATRICE

Il existe, dans la Cité Interdite, un service nommé « Jingshifang » ou « Office des Affaires Respectueuses », regroupant les eunuques affectés au Palais Intérieur. Les personnels de ce Service sont hiérarchisés. Le Super-intendant a un rang égal à un fonctionnaire du gouvernement de 4ᵉ rang. C'est un personnage qui a du prestige et est respecté de la Cour. C'est de lui que dépendent le recrutement des eunuques et leur affectation aux divers services : les entrepôts des choses précieuses ou usuelles, l'entretien des lieux, l'éducation des serviteurs, les achats ou la comptabilité, le service des repas ou du thé..., et chaque demeure du Palais Intérieur a un nombre d'eunuques qui lui sont affectés et qui s'occupent plus particulièrement du confort personnel de leur maître ou maîtresse.

Ces eunuques, entrés au Palais vers l'âge de dix ans, font leur apprentissage avec les anciens eunuques expérimentés. Certains apprennent le massage. Cet art est surtout approprié pour le bien-être des Impératrices Douairières âgées qui ont besoin d'être massées avant de se coucher pour, dit-on, « faire venir le sommeil ».

Les plus adroits peuvent devenir coiffeurs. Etre coiffeur du Souverain n'est pas une charge facile: l'Empereur se fait raser le front et la barbe tous

les dix jours environ, en tenant compte d'une heure et d'un jour fastes. Pour la sécurité de l'Empereur, le barbier travaille sous la surveillance d'un serviteur de confiance et doit observer certaines règles : il est tenu d'accomplir son travail d'une seule main; la main droite tient le rasoir, la gauche ne devant en aucun cas toucher la tête et le corps de l'Empereur. Il passe le rasoir dans le sens des poils ou des cheveux mais jamais à « rebrousse-poil ». Si par malheur il a la main qui tremble et que, écorchant la peau de l'Empereur, celui-ci saigne, le pauvre barbier peut risquer la peine de mort.

L'apprentissage d'un jeune barbier dure de longues années. Il s'entraîne à raser sur son propre bras gauche et pratique la même opération sur des « citrouilles d'hiver » de Chine dont la forme ronde, semblable à un crâne, est couverte d'un duvet argenté planté serré sur une peau fine et fragile.

La Tradition chinoise considère les cheveux comme un élément sacré de l'intégrité du corps. C'est pourquoi on voit, dans la Cité Interdite, des stupas miniature en or, incrustés de pierres précieuses, destinés à recevoir et conserver les cheveux tombés de la tête des Empereurs et Impératrices. La plus somptueuse est celle qui fut commandée par l'Empereur Qian Long : un « Stupa de cheveux », pour sa mère, dont le coût s'élevait à 3 000 taels d'or.

LE COIFFEUR DE CI XI

Tout Empereur, Impératrice ou Noble Concubine Impériale avait, à son service, un coiffeur personnel. Le coiffeur de l'Impératrice Douairière Ci Xi était un eunuque que l'on appelait avec respect « Vieux Liu ».

Chaque matin, après une petite toilette du visage et des mains, Ci Xi s'installe devant sa table de coiffure. Une servante lui lisse les cheveux, met un peu de fard rouge sur ses joues et lui applique un nuage de poudre sur le visage, puis on fait entrer le coiffeur qui, depuis longtemps déjà, attend devant la porte de l'appartement.

Vieux Liu, toujours modeste et souriant, se présente avec une trousse enveloppée dans un brocart jaune, brodé de dragon. Après les salutations rituelles il ouvre sa trousse contenant les peignes, épingles, brosses..., tout un nécessaire à usage exclusif de l'Impératrice Douairière Ci Xi. Il prend son temps. Une servante est là, qui lui passe les accessoires et, si Ci Xi lui pose des questions, il lui raconte des anecdotes amusantes de la ville pour inciter la bonne humeur de son Impériale maîtresse qui commence ainsi tranquillement sa journée tout en sirotant sa boisson préférée, préparée par un autre vieil eunuque de confiance, avant de se lancer dans les multiples affaires qui l'attendent.

47 - Coffre de toilette

47

48 - Objets de toilette

48

Le Palais « Ningshou Gong », demeure de l'Empereur Qian Long en retraite

Déjà âgé de 60 ans, Qian Long aménage son palais de retraite : un ensemble de constructions globalement dénommé « Palais de la Tranquilité et de la Longévité » - « Ningshou Gong ». C'est dans ce cadre que l'Empereur Qian Long vécut après avoir transmis son pouvoir.

A l'origine ce Palais était destiné à recevoir la première épouse d'un Empereur décédé. Elle portait alors le titre d'Impératrice Douairière du Palais de l'Est.

Qian Long veillait à ce que chaque détail soit conforme à ses désirs et était anxieux de voir enfin réalisé ce palais, si essentiel au bien-être de ses vieux jours.

Les travaux durèrent 5 ans - 1771-1776 - en employant de grands moyens que la Chine, à cette époque au sommet de sa prospérité, pouvait se permettre.

C'est au début de son règne que Qian Long a prononcé ces mots: « je ne règnerai pas plus de 60 années car je ne me permettrai pas de m'égaler à mon vénérable Grand-Père, l'Empereur Kang Xi, qui a régné 61 ans ». Il tint parole et, après avoir régné durant 60 ans, laisse le trône à son fils, l'Empereur JIA QING (1796-1820). Lui-même se retire dans le Palais de la Tranquilité et de la Longévité et sera, désormais, le « Suprême Vénérable Impérial » - « Taishan Huang », titre généralement attribué au père de l'Empereur.

Mais Qian Long, qui a conservé une pleine santé de corps et d'esprit, n'abandonne pas pour autant ses activités. Il continue d'intervenir dans les Affaires d'État en donnant des « Conseils » impératifs à son fils, l'Empereur Jia Qing, qui se voit obligé de les suivre. Cela parce que Qian Long n'a pas réellement abandonné le pouvoir, mais également à cause du poids de la « Piété Filiale », vertu si importante dans la société chinoise que même l'Empereur doit s'incliner devant les paroles de son père. Cependant Qian Long a bien des doutes sur l'immuabilité de la piété filiale de son fils lorsqu'elle sera éprouvée par la passion du pouvoir. Il éprouve une grande incertitude concernant les privilèges qu'il pourrait conserver lorsque son fils tiendra les rênes de l'Empire.

C'est cette incertitude qui le conduit à une pensée ambiguë qui se manifeste, à l'évidence, dans l'aménagement de son palais de retraite. Sur une surface rectangulaire de près de 5 hectares, orientée Nord-Sud, le plan architectural de base est une réplique du plan d'ensemble de la Cité Interdite. Construits sur l'axe Sud-Nord les 3 édifices Sud sont destinés aux audiences. Au Nord, les 3 palais résidentiels sont entourés de pavillons et de jardins. C'est une « Cité Interdite » en réduction.

Le Jardin de Qian Long

Mais le jardin, qui échappe à toute rigidité impériale, est un tout autre monde. C'est un jardin tout de poésie, qu'aurait aimé un lettré, créant un environnement propre à cultiver le détachement du vulgaire.

Il procure, au promeneur qui y pénètre, l'impression d'être transporté sur une montagne où la beauté capricieuse des vieux arbres et des rochers s'harmonise parfaitement avec les constructions élégantes.

Empruntant les sentiers étroits où les galeries qui montent et descendent, épousant les accidents du terrain, le promeneur parvient à une terrasse, un kiosque d'où, assis, il pourra contempler le paysage et humer la fraîcheur odorante que dégage une végétation luxuriante.

Malgré sa petitesse, 160 mètres sur 35, le Jardin de Qian Long est un lieu merveilleux. Au Nord et à l'Ouest il est délimité par le mur d'enceinte du Palais de la Tranquilité et de la Longévité, empêchant le regard de se porter au-delà du jardin dans ces deux directions. Aussi, pour remédier à une impression d'encerclement, l'architecte a-t-il aménagé plusieurs ouvertures sur les autres côtés pour supprimer toute séparation rigide entre le jardin et les espaces verts avoisinants, et fait prolonger les allées et galeries des zones Sud et Est du jardin. Le promeneur, franchissant une « Porte de Lune », ou contournant un rocher, se laisse porter par ses pas à la découverte de paysages sans se rendre compte qu'il a franchi le passage délimitant le jardin proprement dit, d'autres espaces verts du Palais.

L'esthétique chinoise insiste beaucoup sur « la discrétion et la profondeur ». La beauté des choses ne devant être révélée que progressivement. Ainsi, l'élément qui marque le passage d'un espace à un autre est-il toujours conçu avec une volonté intentionnée.
Dans le Jardin de Qian Long, ces passages sont particulièrement subtils. Pensés avec beaucoup d'ingéniosité pour produire un effet presque naturel, ils invitent le promeneur à découvrir la vue « de l'autre côté », lui suggérant de prendre la peine de contourner un rocher qui fait écran, d'emprunter les marches d'un escalier, de s'aventurer dans une grotte sombre, ou encore de cheminer sous une longue galerie et de franchir une porte ouverte dont la forme est toujours signifiante.
Les instants de promenade, les passages ainsi franchis dans un tel cadre, imprègnent profondément l'esprit de beauté, qui s'inscrit dans le rêve.

Le promeneur qui sort de la petite cour de l'Ermitage de Lassitude des Efforts, s'avance dans le jardin en suivant une galerie, tantôt éclairée, tantôt dans la pénombre, et parvient devant un petit mur dans lequel s'ouvre une porte en forme de vase. A travers cette ouverture il perçoit, en trois dimensions, le paysage d'arbres et de rochers qui s'étend de l'autre côté de la porte mais qui est comme mis en bouteille dans le vase-porte dont l'embouchure est figurée par un linteau ovale, intégré au mur. Sur ce linteau deux caractères sont gravés : « Désire satisfaire », tandis que de l'autre côté il porte l'inscription « Invitation au Vide ».
Ce passage en forme de vase cache une conception philosophique taoïste à laquelle

Qian Long aspire car, dans le symbolisme taoïste, le vase peut contenir un monde à part pour l'esprit, et son embouchure étroite représente le passage dans cet univers du microcosme.

Grand amoureux des Lettres et des Arts, Qian Long a, durant son règne, entrepris plusieurs voyages dans la région du Fleuve Yangtsé, le fameux « Jiannam » - « Sud du Fleuve », renommé pour la poésie de ses paysages. C'est le pays des « Lettrés », où l'esprit des hommes a soufflé sur le paysage ou, plus exactement, la beauté de la Nature qui a formé l'esprit des hommes.
Pour le Jardin de Qian Long, cette conception a été adoptée: « dans un jardin, les créations de la Nature et celles de l'homme doivent se confondre en une harmonie parfaite, car il est, avant tout, un support qui a pour but de faire progresser l'esprit de l'homme vers une dimension Universelle.
Cependant, l'aménagement du Jardin de l'Empereur répond à ses préoccupations majeures, à savoir, comment y résider le restant de ses jours, et cela, sans engendrer de lassitude. Seule réponse possible: transformer le temps et l'espace réels, à la dimension du corps, en temps et espace imaginaires, à la dimension de l'esprit.

Le Jardin de Qian Long est ainsi créé selon la même démarche que pour la réalisation d'un bonzaï, et sa beauté profonde ne se révèle qu'aux personnes possédant une connaissance spirituelle.

L'art de concevoir le plan d'un jardin traditionnel réside dans l'application de quelques secrets essentiels :
— Rendre une impression d'immensité dans un petit espace.
— Offrir un changement de paysage à chaque pas du promeneur.

Le jardin doit satisfaire au regard dans deux situations : la contemplation du paysage, dans l'immobilité, et la découverte, en se promenant. Pour répondre à la première situation il faut aménager des lieux où l'on s'arrête : kiosques, terrasses... qu'il convient de multiplier lorsque

Le mur des 9 Dragons protège l'entrée de la demeure de l'Empereur Qian Long

l'espace est réduit. Pour la seconde, créer des circuits longs mais où la vue varie sans cesse : pont en zig-zag, galerie qui change de niveau, de direction..., pour éviter un parcours monotone qui fatigue le corps et l'esprit.

Conjointement à cet art de l'espace, la sensibilisation au « Temps » est à considérer sous deux aspects :

— le Temps de la découverte : le temps d'une promenade doit être un moment privilégié, qui s'écoule comme une musique. Le paysage se révèle au fur et à mesure, comme un rouleau de peinture horizontal, qui surprend l'esprit par la variété et le tient toujours éveillé. C'est une progression dans l'enchantement. L'esprit et le corps ravis, l'homme est rajeuni. C'est un temps de régression du vieillissement.

— le Temps et ses changements : la nature évolue sans cesse, à chaque saison comme à chaque heure de la journée.

La tradition chinoise souligne que l'état de santé - physique et moral - d'un individu dépend beaucoup de l'harmonisation du rythme qui régit son corps avec celui du Temps. L'homme est équilibré lorsque les deux rythmes battent à l'unisson, il perd son équilibre lorsque le décalage est trop important. C'est pourquoi, aux périodes de changement de saison, l'homme est vulnérable car le corps, surpris, n'a pas eu le temps de réagir pour s'adapter à la transformation extérieure. Ce désaccord se manifeste chez l'homme par des blocages, une mauvaise circulation et une insuffisance de l'énergie qui le rendent malade.

Un jardin est un corps qui joue le rôle d'intermédiaire entre l'homme et le Monde. Il est en contact avec l'extérieur, en capte les messages de changement et les transmet à l'homme, adoucissant la brutalité des chocs. Mais le jardin est aussi un « initiateur ». Il informe l'homme sur l'évolution de la nature, l'aide à vivre en concordance avec la transformation de l'Univers.

Les Rituels de la Chine traditionnelle visent souvent à l'harmonisation de la Société avec l'ordre cyclique de l'Univers. La « Salle de Lumière » - « Mingtang » - qui est l'espace de méditation du souverain est conçue pour sensibiliser son occupant aux changements des heures de la journée. Elle est munie d'ouvertures qui, des 4 points cardinaux, laissent pénétrer la lumière sous des angles différents, indiquant ainsi à l'homme le changement de position du soleil car la progression des heures est signifiante. Chaque section de la journée marque, en effet, le zénith de l'un des 5 éléments qui composent l'Univers : l'eau, le bois, le feu, le métal et la terre.

Dans l'art du jardin, la sensibilisation au changement des heures est plus poétique, considérant que la couleur de la lumière varie à chaque instant de la journée et emprunte, en 24 heures, toutes les couleurs de l'arc en ciel: bleu indigo avant l'aube, jusqu'au rouge or du couchant. Un architecte-décorateur inspiré peut tirer un riche parti en utilisant ce don de la nature pour la conception et la disposition des éléments qui composent le jardin.

N° 96 - Salle des Trois Raretés

La Salle des Trois Raretés

La Salle des Trois Raretés était le lieu préféré de l'Empereur Qian Long pour se détendre après avoir étudié les rapports d'état.

Qian Long travaillait sur les rapports des ministres et des gouverneurs de provinces dans la pièce centrale du Palais de la Culture de l'Esprit. Il y ajoutait, pour exécution, ses instructions à l'encre rouge. Fréquemment il se rendait dans la Salle des Trois Raretés, située dans la partie occidentale de ce Palais, pour se détendre en traçant quelques calligraphies.

Souverain d'une époque où la dynastie était à son apogée, Qian Long était aussi un grand amateur des Arts, plus particulièrement de la calligraphie. Il a dénommé et tracé de sa main le panneau de la Salle des Trois Raretés qui contient les pièces préférées de sa collection : 3 chefs-d'œuvres calligraphiés par les plus grands calligraphes de l'histoire chinoise: une de Wang Xizhi « le beau temps après une

brève chute de neige », une de Wang Xianzhi intitulée « mi-Automne », une enfin de Wang Xun « la Lettre à Bo-yuan ». Tous trois célèbres calligraphes de la même famille, appelés « les Trois Wang », ont imposé, dans l'histoire, leur suprématie sur le royaume de la Calligraphie.

C'est pour honorer ces 3 chefs-d'œuvre que Qian Long a fait aménager la « Salle des Trois Raretés ». Il s'y rendait fréquemment pour contempler ses 3 trésors. Celui qu'il préférait, les 26 caractères tracés de la main de Wang Xizhi, est un fragment d'une lettre, monté ultérieurement sur un long rouleau horizontal, dénommé « le beau temps après une brève chute de neige ». Chaque fois, après l'avoir contemplé, Qian Long notait, sur le rouleau même, quelques mots exprimant sa nouvelle découverte de l'œuvre. On en compte environ 70 qui sont datés et signés. On constate que, durant une longue période de son règne, il n'a jamais passé une année sans s'accorder le plaisir de contempler cette calligraphie.

Hommage de l'Empereur Qian Long au génie de la calligraphie

Dans le Jardin de Qian Long se dresse une construction curieuse, le « Kiosque de la Cérémonie de Purification » dont l'unique raison d'être est de couvrir une rivière artificielle en forme de labyrinthe nommée « Canal des Coupes Voguantes ».

Sous ce kiosque on ne peut ni s'asseoir, ni s'arrêter confortablement, le sol étant presque entièrement occupé par un curieux canal, au tracé élégant, mais compliqué, dont les deux extrémités sont munies de petits trous permettant d'assurer l'arrivée et la sortie de l'eau et de créer un courant.

Cet ouvrage est une énigme qui trouve sa réponse dans l'amour que Qian Long portait à l'Art de la Calligraphie. En faisant construire ce kiosque, sa pensée s'envolait vers le plus grand calligraphe chinois de l'histoire, Wang Xizhi (4e siècle, dynastie des Jin de l'Ouest), dont l'œuvre calligraphique la plus célèbre est « Préface du Kiosque des Orchidées ».

Wang était un grand calligraphe-lettré, originaire de Shaoxin dans la région du cours moyen du Fleuve Yangtsé. A cette époque antique existait une coutume : au début de chaque printemps, au 3e mois lunaire, la population se réunissait au bord de l'eau pour célébrer la « Cérémonie de Purification ». Chaque fois, quelqu'un rédigeait un texte panégyrique pour commémorer l'événement.

Les lettrés, nombreux dans la région, se réunissaient aussi, pour l'occasion, dans un site de beau paysage où se trouvait le « Kiosque des Orchidées », situé en amont d'une rivière en zigzag appelée « Rivière Ondulante ». Ils y passaient la journée en improvisant des poèmes, en faisant de la calligraphie et en buvant quelques coupes d'alcool parfumé. Exécutant, à leur façon, les gestes de la Cérémonie de Purification, ils déposaient ensuite leurs coupes d'alcool sur l'eau, les laissant voguer au fil du courant de la rivière.

Wang Xizhi, qui faisait partie de ce groupe de lettrés, était très estimé de tous à cause de son talent inégalable pour la calligraphie, considérée en Chine comme le sommet de tous les Arts. A l'une de ces réunions ce fut son tour de rédiger le texte commémoratif. Il composa alors une prose et la calligraphia aussitôt au bord de la Rivière Ondulante.

Cette œuvre, intitulée « Préface du Kiosque des Orchidées », est restée, tout au long de l'histoire, le monument de la calligraphie. Elle a fait rêver tous les collectionneurs de la Culture Chinoise, non seulement pour la qualité du chef-d'œuvre lui-même, mais également en mémoire de la circonstance merveilleuse dans laquelle elle avait été réalisée.

Dames de la Cour jouant au « Go ».
Peinture sur soie de style traditionnel réalisée par les artistes de l'Académie Impériale.

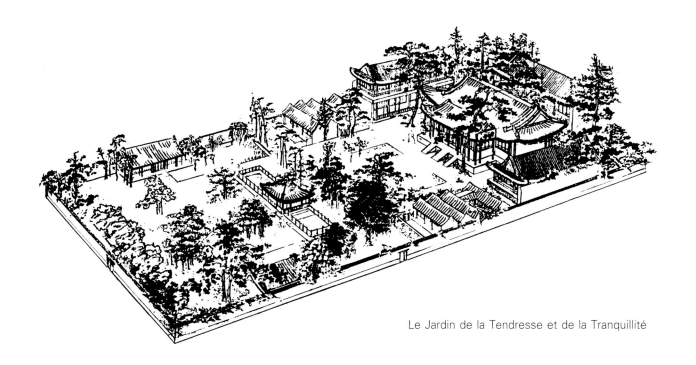

Le Jardin de la Tendresse et de la Tranquillité

Un Jardin pour les Veuves des Empereurs

CI-NING HUAYUAN, le « Palais de la Tendresse et de la Tranquillité » était, sous les dynasties des Ming et des Qing, le lieu de retraite réservé aux Veuves Impériales. C'est un ensemble important séparé des lieux d'activité de la Cour par l'allée Waixilu - « Ceinture occidentale extérieure ». C'est un monde à part, un lieu de retraite destiné au séjour des Impératrices et concubines dès le décès de leur époux impérial, afin qu'elles y prient et méditent jusqu'au dernier jour de leur vie. Tout ce quartier, où chaque construction abrite une chapelle bouddhique, a été conçu pour qu'y règne une ambiance de paix et de silence.

Pour mieux saisir l'esprit de ce palais dissimulé dans la verdure, il est nécessaire de retrouver les différents éléments qui créent l'atmosphère de l'ensemble de ce quartier très spécial qui occupe un vaste espace de plus de cinq hectares, divisé en quatre zones:

1) Le Jardin

2) Le Palais de « la Tendresse et de la Tranquillité », comprenant une aile occidentale « le Palais de la Longévité et de la Santé ».

C'est la demeure de la mère de l'Empereur régnant. L'ensemble, entouré d'un mur d'enceinte, comprend 14 constructions munies d'espaces verts.

Lorsque l'Empereur venait saluer sa mère, il devait descendre de son palanquin avant de franchir le seuil de l'enceinte, puis il se rendait à pied jusqu'à l'appartement de l'Impératrice Douairière.

3) Au Nord de cet ensemble, séparé par une allée large de 7 mètres, le « Palais de la Longévité et de la Paix », entouré d'une haute muraille qui protège les nombreux pavillons et de très beaux espaces verts.

4) Le « Palais de l'Exubérance » est un temple entouré d'un jardin. Son plan architectural ainsi que la disposition des arbres sont dans le style des temples bouddhiques.

La tradition chinoise exige que les veuves soient en retrait de toutes les activités de la société, exception faite de celles qui ont des enfants en bas-âge qu'elles ont le devoir d'élever jusqu'à leur majorité. Passé ce temps, elles aussi se retirent.
Sans mari, le sort d'une veuve est lié à la situation de son fils. Elle jouira de plus ou

moins de privilèges selon le prestige de celui-ci. La vertu traditionnelle de Piété Filiale n'autorise aucun fils à négliger le devoir, le respect et l'obéissance envers sa mère, et cela est valable pour tous, même pour un Empereur.

Ainsi ces palais, généralement silencieux, s'animent une fois par an pour célébrer l'anniversaire de l'Impératrice Douairière. A cette occasion, l'Empereur se doit d'offrir de grands festins et d'y inviter tous les membres de la famille impériale. La Piété Filiale est considérée comme la valeur fondamentale dans la Chine ancienne où la structure sociale est fondée sur le modèle de la famille. L'Empereur, dont le comportement doit être exemplaire, est le premier à observer cette règle de moralité. Par exemple en automne, après la chasse impériale, il fait porter les meilleures viandes au palais de l'Impératrice Douairière; en hiver, il doit s'y rendre plus fréquemment pour s'informer de sa santé.

L'Anniversaire décennal d'une Impératrice Douairière peut, parfois, prendre l'ampleur d'une fête nationale. Il en fut ainsi lors de la célébration du 60e anniversaire de l'Impératrice Douairière Zhong Qin, offerte par son fils, l'Empereur Qian Long. A cette occasion tout le quartier du Palais de la Tendresse et de la Tranquillité est décoré des riches accessoires protocolaires et l'orchestre rituel est installé devant l'entrée. L'Empereur, en costume de cérémonie, attend respectueusement dans la salle de réception du Palais de la Longévité et de la Paix. L'Impératrice Douairière arrive en chaise à porteurs. L'Empereur s'avance alors pour l'aider à descendre et à prendre place sur son trône. La musique résonne et l'Empereur accomplit la grande prosternation : 3 agenouillements, à chacun d'eux la tête touche 3 fois le sol. Puis, successivement, ce sont les princes, les princesses, ainsi que les dignitaires civils et militaires qui viennent se prosterner devant l'Impératrice Douairière en lui présentant leurs souhaits de longévité. Au cours du festin qui suit, l'Empereur, suivi des princes, doit, tout en exécutant une danse, porter un toast à sa mère.

Devant la Palais de la Longévité et de la Paix, une cour spacieuse était prévue pour ces grandes occasions.

Toute la ville participe également à la fête: depuis la Cité Interdite jusqu'à la banlieue Ouest de Pékin, au Parc des Vaguelettes Limpides (aujourd'hui le Palais d'Eté de Ci Xi), partout les rues sont ornées de lanternes et de glands de soie colorée; des estrades sont dressées pour offrir des spectacles, et des étalages présentent des objets d'artisanat de toutes sortes. Mais ces occasions de réjouissance ne se présentaient, au plus, qu'une seule fois par an. Pour tous les autres jours de l'année, la seule distraction possible pour les Veuves Impériales est la promenade dans le jardin.

Ce jardin n'en est pas moins un paradis terrestre : dès que l'on en franchit la porte principale, ouverte sur la face Sud du mur d'enceinte, on se trouve face à des rochers géants formant un écran qui cache la vue sur l'intérieur. Le Jardin de la Tendresse et de la Tranquillité occupe une surface de 6 800 mètres carrés. Il se distingue des autres espaces verts de la Cité Interdite sur plusieurs points :

— Le terrain n'y a subi aucun aménagement en relief. Les roches qui sont présentées sont disposées en paravent ou comme objets de contemplation et non pour être escaladées, conformément au principe qui veut que les veuves des Empereurs ne doivent plus avoir la force, ni le cœur, de s'amuser à grimper sur les collines artificielles.

— Par rapport aux autres jardins de la Cité Interdite on y trouve peu de constructions, onze en tout, qui occupent seulement un cinquième de l'ensemble du terrain (le jardin de Qian Long compte 25 constructions). C'est le jardin le plus dégagé de la Cité Interdite.

Le nombre et la richesse des espèces et des formes de la végétation qui orne le Jardin de la Tendresse et de la Tranquillité sont uniques dans la Cité Interdite. Les arbres et les fleurs, disposés d'une manière ingénieuse, rompent la monotonie de l'espace d'un sol sans aucun relief, lui donnent vie, et égayent le plan symétrique dont l'expression est trop solennelle. L'agencement architectural est entièrement conçu pour créer une ambiance religieuse. Comme dans les temples, toutes les constructions qui s'y trouvent sont liées à une activité bouddhique et la décoration elle-même tend à imprégner de sentiments religieux l'âme des femmes de ce palais.

Les Veuves Impériales ne sont pas toujours des femmes âgées. Il y a de nombreuses concubines impériales à la fleur de l'âge devenues veuves à la mort d'un Empereur, ainsi que des Impératrices Douairières, épouses d'Empereurs morts jeunes, comme ce fut le cas de l'Empereur Dong Zhi, décédé à l'âge de 19 ans, ou de l'Empereur Guang Xu, mort à 37 ans.

Voici l'un des poèmes qui exprime l'isolement et la peine des veuves du Palais :

« *Dans la solitude, la tristesse pénètre au plus profond de l'être,*
pour passer les nuits blanches on brode la soie précieuse.

Que de temps perdu à regarder les fleurs du printemps, la lune d'automne.

Voici venir l'attelage du Palais pour la sortie annuelle : accomplir le rituel au mausolée impérial ».

On comprend pourquoi, dans ces conditions, Ci Xi, Impératrice Douairière et veuve à 27 ans, insiste à chaque fois pour mettre sur le trône un bébé. Elle peut ainsi continuer de vivre en activité plutôt que se morfondre en s'enterrant dans un espace clos, conformément aux exigences impériales.

NOMS DU RÈGNE	NOMS	DATES DE RÈGNES	DURÉE DE VIE
TIAN MING	NURHACHI	1616-1626	1559-1626
TIAN CONG (CHONG DE)	HUANGTAIJI	1617-1643	1592-1643
SHUN ZHI	FULIN	1644-1661	1638-1661
KANG XI	XUANYE	1662-1722	1654-1722
YONG ZHENG	YINGZHEN	1723-1735	1678-1735
QIAN LONG	HONGLI	1736-1795	1711-1799
JIA QING	YONGYAN	1796-1820	1760-1820
DAO GUANG	MINNING	1821-1850	1782-1850
XIAN FENG	YIZHU	1851-1861	1831-1861
TONG ZHI	ZAICHUN	1862-1874	1856-1874
GUANG XU	ZAITIAN	1875-1908	1871-1908
XUAN TONG	PUYI	1909-1911	1906-1967

I. AUDIENCE MATINALE

N° 1-(1)
Paravent décoré de motifs de lotus incrustés
Qian Long - 1736-1795
Hauteur : 273 cm ; largeur : 304 cm

N° 1-(2)
Trône en bois laqué rouge décoré de motifs de lotus en incrustation
Qian Long - 1736-1795
Largeur : 116 cm ; profondeur : 80 cm ;
Hauteur du siège : 54 cm

(3)
Repose pieds en bois laqué rouge
Qian Long - 1736-1795

(4)
Console en bois laqué-rouge pour brûle-parfum
Qian Long - 1736-1795
Hauteur : 90 cm ; diamètre : 45 cm

(5)
Brûle-parfum en forme de lion
Qian Long - 1736-1795
Hauteur : 25 cm ; longueur : 36 cm

(6)
Brûle parfum en pagode dorée et colonne de jade vert
Qian Long - 1736-1795
Hauteur : 126 cm ;diamètre : 12,8 cm

(7)
Cigognes brûle-parfum en cloisonné
Milieu Qing - 1736-1820
Hauteur : 83 cm

(8)
Réchauds en bronze cloisonné
Milieu Qing - 1736-1820
Hauteur : 92 cm ; diamètre : 55 cm

(9)
Eventails du Palais à décor de plumes de paons sur hampe de bois
Qian Long - 1736-1795
Hauteur : 304 cm ; socle hauteur : 74 cm;
éventail hauteur : 110 cm

**Tapis jaunes à motifs de médaillon
(hors catalogue)**
Milieu Qing - 1736-1820 - 4 mètres

II. OBJETS REPRÉSENTANT LE POUVOIR IMPÉRIAL

N° 2
Époque : Qian Long
1736-1795
Hauteur : 15,6 cm
Face : 22,6 cm x 22,6 cm

Sceau d'autorité de l'« Empereur Suprême » Qian Long, en caractères Mandchous et Han.
« Empereur Suprême » est le titre qu'on donne au père de l'Empereur régnant.
Fait en Jade bleu.

N° 6
Époque : Tong Zhi
1862-1874
Longueur : 130 cm

Robe d'Audience Matinale de l'Impératrice, en satin « Jaune Radieux » brodé de dragons et nuages.
La robe officielle de l'Impératrice est en Jaune Radieux sauf pour la cérémonie de mariage où elle sera en rouge.
Faite en kossu et doublée de soie, elle est portée en hiver.

N° 3
Époque : Guang Xu
1875-1908
12,9 cm x 12,5 cm

Sceau d'autorité de Noble Concubine XUN - en caractères Mandchous et Han.
Fait en argent doré.

N° 7
Époque : Tong Zhi
1862-1874
Longueur : 146 cm

Long gilet de l'Impératrice en satin bleu brodé de dragons et nuages
Ce gilet est destiné à être porté sur une robe de cérémonie. Celui de l'Impératrice doit, pour les audiences, être de couleur bleu brodé de fils d'or.

N° 4
Époque : milieu des Qing
1736-1820
Hauteur : 62 cm
Base : 55,5 cm x 55,5 cm

Coffre à Sceaux.
Ce coffre peut contenir nombres de sceaux, chacun dans une niche différente.
Fond laqué orange foncé et peint de motifs de dragons et de Phénix.

N° 8
Époque : Jia Qing
1796-1820
Longueur : 142 cm

Costume d'Audience de l'Empereur Jia Qing en « Jaune Radieux ».
La couleur des costumes de l'Empereur doit s'accorder à la fonction de la Cérémonie ; le Jaune est pour les audiences étatiques.
Il est fait en soie brodé de dragons et de 12 motifs traditionnels.

N° 5
Époque : Guang Xu
1875-1908
12,5 cm x 10,5 cm

Décret de nomination de Noble Concubine Impériale Duan Kang en argent doré portant des textes en Mandchou et en Han, gravés et colorés de bleu.
« Noble Concubine Impériale » est le titre honorifique que l'on donne aux Nobles Concubines de l'Empereur défunt.

N° 9
Époque : Kang Xi
1662-1722
296 cm x 210 cm

Portrait de l'Empereur Kang Xi en costume d'Audience Matinale.
Kang Xi est le 2e Empereur des Qing après l'unification du territoire chinois. Contemporain de Louis XIV, de France, ils ont maintes qualités communes : souverains éclairés ayant contribué au progrès de leurs pays et à l'ouverture de leurs Nations sur le monde.

N° 10
Époque : Qian Long
1736-1795
206,2 x 133 cm

Portrait de l'Empereur Qian Long en costume d'Audience Matinale.
Œuvre anonyme réalisée par l'Académie Impériale d'un style classique mais le modelé du visage donnant un relief note une influence des peintres jésuites occidentaux travaillant à la Cour de Chine.

N° 11
Époque : fin des Qing
1851-1908
253 x 110,5 cm

Portrait de l'Impératrice Douarière Ci Xi. La peinture montre Ci Xi âgée dans son costume d'hiver d'Audience d'une Impératrice Douairière régente. Les principaux motifs brodés sont des dragons et des signes de longévité, les bijoux rituels sont deux colliers en corail et un en perles fines. Sa coiffure est ornée de perles fines et de phénix en or, symbole de la suprématie féminine.

N° 12
Époque : Qian Long
1736-1795
146 cm

Collier de l'empereur Qian Long vert pâle à usage non officiel.

N° 13
Époque : Qian Long
1736-1795
116 cm

Collier de cérémonie en corail. Pour les offrandes au Temple du Soleil.

N° 14
Époque : Qian Long
1736-1795
120 cm

Collier de cérémonie en jade vert pâle.

III. COSTUMES ET ARMEMENT MILITAIRES

N° 15
Époque : Qian Long
1736-1795

**Armure de l'Empereur
Qian Long**
pour les grands défilés. Taillée
dans une soie jaune,
elle est renforcée de clous et de
lamelles en bronze et en acier.
L'ensemble comprend casque,
veste et jupe. Elle se porte avec
des bottes de même couleur.

N° 20
Époque : Milieu-Qing
1736-1820
Longueur : 84 cm

Cravache avec manche en jade.

N° 16
Époque : Qing
1644-1991

**Armure d'un chef de régiment de
Bannière Bleue.**
Cette armure est munie de
manches, éléments distincts de
l'armure sans manches des
soldats.

N° 21
Époque : Qian Long
1736-1795
Longueur : 95 cm

**Sabre de Qian Long avec
fourreau en écorce de pêcher
classé en groupe « Ciel » N° 18.**

N° 22
**Sabre de Qian Long avec
fourreau en peau de poisson
classé en groupe « Ciel » N° 6.**
Longueur : 92 cm
Fourreau : 78 cm

N° 17
Époque : Qing
1644-1911

**Armure d'un chef de régiment de
Bannière Blanche à galon.**

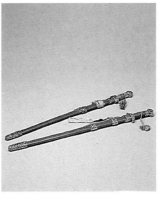

N° 23
Époque : Qian Long
1736-1795
Longueur : 100 cm
Fourreau : 85 cm

**Épée de l'Empereur Qian Long
avec fourreau en peau de cachalot
classée en groupe « Ciel » N° 5.**

N° 24
**Épée de l'Empereur Qian Long
avec fourreau en peau de cachalot
classée en groupe « Terre »
N° 1.**

N° 19
Époque : Qian Long
1736-1795
Hauteur : 33 cm
Longueur : 70 cm

Selle de l'Empereur Qian Long
décorée de dragons et incrustée
de pierres précieuses.

N° 25
Époque : Qing
1644-1911

**Carquois et flèches de
l'Empereur Qian Long.**

N° 27
**Arc avec ornement en écorce
d'arbre.**
Longueur : 163 cm

N° 18-1
Dynastie des Qing
1644-1911

Armure de Bannière Jaune uni.

N° 18-5
Dynastie des Qing
1644-1911

Armure de Bannière Jaune à galon.

N° 18-2
Dynastie des Qing
1644-1911

Armure de Bannière Blanche uni.

N° 18-6
Dynastie des Qing
1644-1911

Armure de Bannière Blanche à galon.

N° 18-3
Dynastie des Qing
1644-1911

Armure de Bannière Rouge uni.

N° 18-7
Dynastie des Qing
1644-1911

Armure de Bannière Rouge à galon.

N° 18-4
Dynastie des Qing
1644-1911

Armure de Bannière Bleue uni.

N° 18-8
Dynastie des Qing
1644-1911

Armure de Bannière Bleue à galon.

N° 26
Époque : Qian Long
1736-1795
Longueur : 87 cm
Diamètre : 6,5 cm

**Corne de chasse en bois doré,
pour appeler les cerfs.
Objet utilisé lors de la « Grande
Chasse » d'automne, à Jehol.**

N° 29
Époque : Qian Long
1736-1795
115   x   181,4 cm

**Tableau montrant une scène de la
« Petite Chasse » du printemps,
au parc impérial. L'Empereur
Qian Long dans son habit de
cavalier style Mandchou
au milieu de ses gardes
personnels.**

**Œuvre de Castiglione,
peintre Italien, missionnaire
fonctionnaire de l'Académie
Impériale de Chine.**

N° 28
Époque : Qian Long
1736-1795
24,5 x 29 cm

**Tableaux de 10 chevaux peints
par le missionnaire jésuite
Français Jean-Denis Attiret,
fonctionnaire de l'Académie
Impériale de Chine.**

IV. SALLE DE RÈGNE DE LA RÉGENCE DE L'IMPÉRATRICE DOUAIRIÈRE

N° 30 (7)
Époque : fin Qing
1821-1911
Hauteur : 49,5 cm

Chandeliers-cigogne portant une fleur de lotus en bronze cloisonné.

30 (1) Portant de rideau en bois sculpté.

30 (2) Tables longues en bois d'ambre.

30 (3) Tables basses.

N° 30 (4)
Époque : Qian Long
1736-1795

Poésie et calligraphie de l'Empereur Qian Long intitulée « les 4 aspects de Vajra ».

N° 30 (8)
Époque : Qian Long
1736-1795

Trône en bois d'ébène incrusté de jade et de nacre en motifs de dragons, nuages, flammes et chauves-souris.

N° 30 (9)

Repose-pieds en bois.

N° 30 (5)
Époque : Qing
1644-1911
Hauteur : 46,4 cm

Bibelot en corail et en pierres précieuses : motifs de poissons, algues et coraux.

N° 30 (10)
Époque : milieu des Qing
1662-1735
Hauteur : 195 cm

Lampadaire en forme de pavillon et au socle orné d'un dragon.

N° 30 (6)
Époque : Qing
1644-1911
Hauteur : 65,8 cm

Bonzaï : un magnolia fleuri en jade blanc et vert dans un pot de bronze cloisonné.

N° 30 (11)
Époque : milieu des Qing
1736-1820
Consoles.

N° 30 (12)
Époque : Qian Long
1736-1795
Brûle-parfum de jade vert en forme d'éléphant (sans photo).

N° 30 (13)
Époque : milieu des Qing
1736-1820
460 x 386 cm
Tapis aux motifs floraux (sans photo).

N° 31 - LES INSTRUMENTS DE MUSIQUE RITUELLE

N° 31 (1)
Époque : 44ᵉ année de règne de
Qian Long (1780)
Hauteur : 30,5 cm
Diamètre de chaque cloche :
17,2 cm

Bian-Zhong
Cloches dorées aux motifs
de « 8 trigrammes ».
Instrument de musique,
cérémonielle disposé dans la
partie Est de l'orchestre.
Série de 16 cloches avec support
en bois laqué or aux motifs de
dragons et phénix orné de glands
en soie. Les socles sont en forme
de balustrade portée par 2 lions.

N° 31 (2)
Époque : 29ᵉ année de règne de
Qian Long (1765)
Chaque pierre : longueur : 35 cm
épaisseur : 2,8 cm (environ)

Bian-Qing
Instrument de musique rituelle en
pierres sonores, disposé dans la
partie Ouest de l'orchestre.
Série de 16 lithophones en jade
avec support en bois laqué or aux
motifs de phénix orné de glands
en soie.

N° 31 (3)
Époque : 26ᵉ année de règne de
Qian Long (1762)
Cloche : hauteur : 70 cm
diamètre : 30,5 cm

Bo-Zhong
Pour les cérémonies de 4ᵉ mois
lunaire.
Grande cloche dorée donnant la
6ᵉ note de la gamme chinoise
antique (de 12 notes). Elle se place
dans la partie Est de l'orchestre
pour l'introduction musicale.
Le support est à décor de
dragons.

N° 31 (4)
Époque : 26ᵉ année de règne de
Qian Long (1762)
Pierre : hauteur : 51 cm
épaisseur : 3,5 cm

Ta-Qing
Grand lithophone en jade.
Pierre sonore qui donne la 6ᵉ note
de la gamme antique pour les
cérémonies du 4ᵉ mois lunaire.
Il se place dans la partie Ouest de
l'orchestre.
Son support en bois doré est
décoré de motifs de phénix.

V. OBJETS USUELS DES EMPEREURS ET IMPÉRATRICES

N° 32
Époque : Qian Long
1736-1795
Hauteur : 91 cm

Coffre portatif en bois de poirier contenant 5 étages de rangements pour les coupes, plats, pichet en argent et baguettes en bois. Utilisé pour les pique-niques de l'Empereur.

N° 35-36
Époque : milieu Qing
1736-1820
Hauteur : 6,8 cm

Deux coupes en jade blanc.

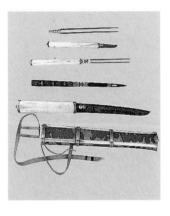

N° 33 (1)
Époque : milieu Qing
1736-1820
Longueur : 29 cm

Étui en bambou cerclé de bagues en or contenant baguettes, couteaux, pinces, fourchettes, etc.

N° 37-38
Époque : Qian Long
1736-1795
Hauteur : 9,5 cm
Diamètre : 11,7 cm

Bols en jade émeraude translucide.

N° 33
(2-3-4)
Époque : Qing
1644-1911

Service de table en argent, en or et en ivoire comprenant : baguettes, cuillère et fourchette.

N° 39-40
Époque : Qian Long
1736-1795
Hauteur : 6,4 cm
Diamètre : 12,4 cm

Bols en jade translucide gravés de motifs floraux.

N° 34
Époque : milieu Qing
1736-1820
Hauteur : 13,5 cm

Théière en jade à reflet bleu en forme de fleur de lotus.

N° 41-42
Époque : milieu Qing
1736-1820
Hauteur : 3,5 cm
Diamètre : 18 cm

Plat en jade à reflet vert, semi-transparent, pour le service des repas.

N° 43-44
Époque : Kang Xi
1662-1722
Hauteur : 6,1 cm
Diamètre : 12,2 cm

Bols en porcelaine jaune à motifs
de dragons, nuages et perles
aux flammes.

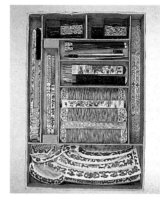

N° 48 (1-6)
Époque : Fin Qing
1821-1911

Ensemble d'objets pour la
coiffure :
(25 pièces)
9 Peignes en ivoire
2 Peignes double faces en
bambou
2 Aiguilles pour nettoyer les
peignes
2 Épingles en ivoire
2 Brosses à fard
8 Tampons.

N° 45
Époque : milieu Qing
1736-1820
Hauteur : 16,5 cm
Diamètre : 38,8 cm

Boîte à nourriture en bois, laquée
or et peinte de motifs floraux.
Elle est munie de « fenêtres »
voilées par des lamelles de
bambou tressées qui permettent
l'aération des aliments.

N° 49
Époque : milieu Qing
1736-1820
Hauteur : 38,5 cm

Miroir en cloisonné pour le
mariage.
Fabriqué dans l'atelier spécialisé
de Canton pour l'usage de la
Cour.

N° 46
Époque : début Qing
1644-1735
Hauteur : 68,5 cm
Diamètre : 32 cm

Panier portatif
appelé Chun-Shun,
« Fête du Printemps »
destiné aux pique-niques
de la famille impériale.
Il est fait en lamelles de bambou
tressées.

N° 50
Époque : Qing
1644-1911
Hauteur : 4,5 cm
Diamètre : 11,4 cm

Boîte à fard à motifs de chauve-
souris et de « Longévité ».

N° 47
Époque : milieu Qing
1736-1820
Hauteur : 44 cm
Largeur : 44 cm
Longueur : 44 cm

Coffre de toilette en
bois laqué noir à motifs or et
rouge avec incrustation de
plaques d'os.
Il est muni de tiroirs
et d'un miroir en bronze.

N° 51
Époque : fin Qing
1821-1911
Hauteur : 38,5 cm

Pipe à eau en cloisonné.

N° 52
Époque : fin Qing
1821-1911
Longueur : 13 cm

Protège-ongle
en fil de bronze doré.
La mode féminine de la Cour des
Qing préconise les ongles longs,
ce qui exige une protection pour
les conserver.

N° 56
Époque : milieu Qing
1736-1820
Hauteur : 13,3 cm
Diamètre : 47,4 cm

Bassine en bronze émaillé
pour la toilette du visage.
Fond bleu décoré de motifs
des 8 Trésors bouddhiques,
et sur le bord, 8 attributs
des Immortels.

N° 53
Époque : Guang Xu
1875-1908
Longueur : 127 cm

Robe usuelle de femme en soie
brodée de « Cent papillons »,
« Wu-ti » symbole d'une beauté
« Inégale » par homonymie.
C'est l'un des décors préférés
de l'Impératrice Ci Xi.

N° 57 (1)
Époque : fin Qing
1821-1911

**Parures de coiffure aux plumes de
Martin-Pêcheur.**
Les femmes du Palais ornaient
leur coiffure de nombreux bijoux.
Ceux en ornement de plumes de
Martin-Pêcheur sont
spécialement de fabrication
pékinoise. Cette paire est en
motifs de lotus,
cigogne et Martin-Pêcheur

N° 54
Époque : Guang Xu
1875-1908
Longueur : 133 cm

Robe usuelle de femme en satin
brodée de cigognes, motifs
symbolisant « l'Immortalité ».
La coupe de cette robe, manches
et buste ajustés, est une mode de
la fin du 19ᵉ siècle.

N° 57 (2-3)
Époque : fin Qing
1821-1911

**Épingles en plumes de Martin-
Pêcheur pour coiffure :**

2) au centre, des chauve-souris
(prospérité) en perles de corail et
les Svatikas symbole bouddhique,
en perles fines,
entourés de motifs floraux en
plumes bleues.

3) au centre : signe de longévité
en perles de corail, encadré de
deux chauve-souris, symbole de
prospérité.

N° 55
Époque : Guang Xu
1875-1908
Longueur : 21,5 cm

**Chaussures de cour pour femmes
mandchoues en soie blanche**
et noire brodée de fleurs.
Le milieu des semelles, très haut,
est en forme de « pot de fleurs ».
Ils sont en bois peint en blanc
orné de signes de longévité

N° 57 (4)
Époque : fin Qing - 1821-1911
18   x 3 cm
**Épingle pour le chignon en
argent doré ornée de cinq perles
fines entourées de rubis et de
saphirs.**

N° 57 (5)
Époque : Tong Zhi - 1862-1875
Largeur : 17,6 cm
**Au centre, une libellule avec les
ailes formées de perles fines
appelées « grains de riz »,
le corps en pierres précieuses ;
elle est posée sur 2 feuilles
faites en plumes bleues.**

N° 57 (6)
Époque : Tong Zhi
1862-1875

**Épingles en argent doré
en forme de papillons.**
Les ailes sont formées de perles
fines dites « grains de riz », le
corps en rubis et émeraudes et les
antennes en perles de corail se
terminent par une grosse perle.
Les plumes bleues qui ornent
certaines parties rehaussent la
coloration de ces bijoux.

N° 57 (7)
Époque : fin Qing
1821-1911
24 x 6,8 cm

**Épingle en fils d'or, pour
chignon.**
Au centre, le signe de longévité
en plumes bleues orné d'une perle
fine, est entouré
de 5 champignons magiques,
parmi des feuilles de bambou en
plumes bleues.

N° 58
Époque : milieu Qing
1736-1820
Long. totale : 47 cm
Diamètre : 32,5 cm

**Éventail rond avec poignée
en bois gravé de motifs
symboliques de bons augures :**
Zi (champignon magique)
Xian (immortelle) Zu (bambou)
Shou (pêche de longévité) ;
sur l'éventail sont brodés des
fruits « Mains de Bouddha » ;
muni de glands couleur jaune
radieux, cet objet est aux usages
strict de l'Impératrice.

N° 59
Époque : Qian Long
1736-1795
16,8 x 44,8 cm

**Éventail pliant orné
de paysage peint.**
Paysage d'hiver d'esprit
« Chen », représentant 2 Lettrés
sur un bateau, voguant sur une
rivière bordée de pins enneigés.
L'œuvre est signée de Sun Gu, un
peintre de l'Académie Impériale.
Sur l'autre face de l'éventail, une
œuvre calligraphique de Lian
Shezheng, membre de l'Institut
au 18ᵉ siècle.

N° 60
Époque : milieu Qing
1736-1820
17,5 x 14,5 x 11 cm

Chauffe-mains en cloisonné.
Cet objet portatif en bronze
peint, est orné de 4 scènes de
paysage avec des cerfs et des
canards mandarin.

N° 61
Époque : Qian Long
1736-1795
Hauteur : 36 cm

Chandelier en jade.
Fait de deux pièces de jade :
plateau blanc tamisé à reflet
gris, la colonne et les bras
sont en jade vert-bleu.
Cet objet chinois est très
influencé de style occidental.

COLLECTION IMPÉRIALE D'HORLOGES

N° 62
19ᵉ siècle
Fabrication Française
Hauteur : 43 cm

Horloge baromètre en forme de bateau.
Cette horloge en bronze doré sur socle de marbre est équipée d'un cadran horaires, d'un baromètre, d'une boussole et d'un thermomètre.
L'hélice du bateau tourne pendant le fonctionnement.

N° 66
18ᵉ siècle
Fabrication Anglaise
Hauteur : 78 cm

Horloge musicale en montagne dorée.
Au centre, un cadran à 3 aiguilles.
Dans la grotte, la cascade s'anime à la mise en marche de la boîte à musique située dans la partie inférieure.
Dans un cadre imitant un milieu naturel, les personnages, animaux et plantes sont en bronze doré.

N° 63
19ᵉ siècle
Fabrication Française
Diamètre d'une montre : 13 cm

L'horloge en bronze doré, descend la pente en vingt-quatre heures. Un poids suspendu dans l'axe à l'intérieur, maintient la position verticale du cadran.

N° 67
18ᵉ siècle
Fabrication Anglaise
Hauteur : 79 cm

Horloge musicale en bronze doré en forme de pot à bonzaï. Sur les 4 faces, des automates s'animent derrière les fenêtres, au son de la musique. Plantes et insectes, en argent, sont en pierres semi-précieuses.
L'objet est muni de 2 cadrans, l'un encastré dans la roche, l'autre forme le cœur d'une fleur épanouie.

N° 64
19ᵉ siècle
Fabrication Française
Hauteur : 51 cm

Horloge à pendule incrustée de pierres précieuses.
En forme d'arche, cette horloge en bronze doré est munie de colonnes émaillées.
L'ensemble est monté sur un socle de marbre.

N° 68
19ᵉ siècle
Fabrication Anglaise
Hauteur : 78,5 cm

Horloge musicale au taureau.
En bronze doré et pierres, cet horloge est signée de James Cox.
Cascades et jets d'eau, situés dans le socle, s'animent avec la musique, tandis que l'étoile du sommet tourne sur son axe.

N° 65
18ᵉ siècle
Fabrication Anglaise
Hauteur : 44,2 cm

Horloge en forme de cathédrale.
En bronze doré. Dans la partie inférieure, 2 portes s'ouvrent sur 3 tiroirs superposés. La partie centrale renferme la commande et une boîte à musique.
4 cadrans sont encastrés sur les 4 faces de la tour, sous le toit d'agate.

N° 69
18ᵉ siècle
Fabrication Anglaise
Hauteur : 79,5 cm

Horloge en forme de pavillon avec automate, signée de Joseph Williamson.
En bronze doré avec décors en émail peint de personnages.
La partie inférieure renferme des tiroirs. En déclenchant la boîte à musique, la porte du second étage s'ouvre sur un automate, les 12 colonnes ornées de dragons tournent et les chauve-souris battent des ailes.

N° 70
18ᵉ siècle
Fabrication Anglaise
Longueur : 85,5 cm

**Horloge musicale surmontée
d'une vache en or
signée James Cox.**
Trois cadrans placés à l'avant
indiquent les heures, quarts
d'heure et minutes. Sur la face
opposée, cadrans pour les jours et
les mois. Derrière les vitres
latérales, les personnages
s'animent dans leurs décors
au son de la musique.

N° 71
Époque : Qian Long
1736-1795
Hauteur : 78,8 cm

**Horloge Chinoise fabriquée à
Shouzhou.**
En bronze doré, le cadran d'émail
bordé de pierres incrustées est
surmonté d'une coupe en or fin :
la sonnerie marque les heures et
quarts d'heure, déclenchant
l'ouverture des portes du milieu
où s'anime un magicien. Avec la
musique la cascade prend vie et
fait tourner les vases de fleurs.

N° 72
Époque : Qian Long
1736-1795
Hauteur : 69 cm

**Horloge Chinoise fabriquée à
Canton.** De style hybride mi-
chinois, mi-européen, elle est en
bronze doré. La sonnerie indique
les heures et quarts d'heure. En
actionnant la boîte à musique,
l'automate tourne dans son décor
ainsi que la coupe centrale.
Au sommet, le caractère
« Longévité » change de forme
par rotation des tiges de verre qui
le forment.

N° 73
18ᵉ siècle
Hauteur : 70 cm

**Horloge fabriquée à Canton, en
forme d'écran.**
La peinture sur verre est
d'inspiration occidentale, avec
l'église et monument,
le support en bois sculpté est de
style chinois. Le cadran, peint
sur le verre, est intégré dans
l'architecture, comme une rosace.
Le mécanisme se situe entre
le verre et le fond.

N° 74
Époque : Qian Long
1736-1795
Hauteur : 100 cm

**Horloge fabriquée à Canton en
forme de pavillon.**
En bronze doré, décor et cadran
en émail. De part et d'autre du
cadran, les personnages s'animent
lors de la mise en marche de la
boîte à musique, tout comme les
vases de fleurs qui tournent. Au
centre, une pagode télescopique à
9 étages dont la hauteur peut
varier. Dans le kiosque du sommet,
un personnage porte un écriteau
en caractères chinois
« pour l'éternité ».

N° 75
Époque : Qian Long
1736-1795
Hauteur : 56,7 cm

**Horloge fabriquée par l'Atelier
Impérial.**
Horloge en bois et bronze doré, à
3 cadrans dite « en toit de
carrosse ». Équipée d'un carillon,
son aspect rappelle les pendules
« Louis XIII » très répandues en
Europe à cette époque.
Elle fut employée à la Cour
Impériale chinoise pour marquer
le temps.

N° 76
Époque : fin Kang Xi
Début : 18ᵉ siècle
Hauteur : 51 cm

**Clepsydre
aux « 8 Trigrammes » fabriquée
par l'Atelier Impérial.**
Corps en cuivre
en forme de tambour.
Sur la partie centrale, deux textes
en relief : l'un est le mode
d'emploi, le second décrit l'intérêt
de la clepsydre. Une règle graduée
mobile, dont la partie supérieure
dépasse le corps, permet la lecture
du temps écoulé.

VI. VIE CULTURELLE DES EMPEREURS ET IMPÉRATRICES

N° 77
Époque : milieu Qing
1736-1820
Diamètre de chaque pièce : 2,5 cm

Jeu de Go
en jade blanc et jade vert foncé
avec deux boîtes en bois.

N° 82
Époque : milieu Qing
1736-1820
Hauteur : 18,4 cm

Porte pinceau en jade.
Sculptée en bas-relief une scène
intitulée « Cinq vieillards dans la
montagne », 4 jeunes garçons les
suivent en portant des plateaux,
du vin et des livres.

N° 78
Époque : Qing
1644-1911
46 x 46 cm

**Échiquier pour le jeu de Go et
table basse.**
Formé de 4 plaques
assemblées, cet échiquier est
conçu pour être
transporté dans les promenades.

N° 83
Époque : milieu Qing
1736-1820

**Pinceau en poils de sanglier à
manche de jade sculpté d'un
calligraphe dans un paysage.**

N° 84
Longueur : 21,5 cm

**Pinceau en poils de loup, à
manche de jade blanc.**

N° 79
Époque : Qian Long
1736-1795
Longueur : 101 cm

**Cithare à 7 cordes en bois de
platane.**
Cet instrument de musique existe
dès l'époque antique, créant un
flux sonore profond et une
ambiance méditative. Il fait aussi
partie de l'orchestre rituel, dans
le groupe septentrional.

N° 85
Époque : milieu Qing
1736-1820
Largeur : 13 cm

**Porte-Pinceau en jade blanc
sculpté de onze enfants jouant
chacun d'un instrument de
musique.**

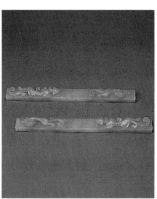

N° 80-81
Époque : milieu Qing
1736-1821
Longueur : 24 cm

Règles appuis-papier.
Faits en jade blanc, chacun est
orné de deux lézards sculptés, dits
« mère et fils ».

N° 86
Époque : milieu Qing
1736-1820
Longueur : 18 cm

**Récipient à eau en forme
d'animal mythique en jade.**
Cet objet est utilisé pour la
calligraphie : son ventre creux est
un réservoir d'eau pour préparer
l'encre, et le petit animal a sur
son dos un couvercle muni d'une
tige pour prendre des gouttes.

N° 87
Époque : milieu Qing
1736-1820
Longueur : 11,5 cm
Largeur : 6,7 cm

Étagère miniature en jade céladon ornée d'un paysage gravé. Cet objet sert à poser le bâton d'encre au cours d'une séance de la calligraphie.

N° 88
Époque : Qian Long
1736-1795
Longueur : 9,5 cm

**Bâton d'encre décoré d'un dessin en or qui illustre un thème symbolique : « La grue porte la longévité au Palais ».
C'est un cadeau pour l'anniversaire de l'Empereur Qian Long.**

N° 89
Époque : Qian Long
1736-1795
Le plus long : 8,7 cm

Bâtons d'encre de 5 couleurs en forme dite « Langue de buffle » et décorés de motifs de dragon. Sur une face est inscrit : « Trésor national », sur l'autre : « Fait dans les années de Qian Long, dynastie Qing ».

N° 90
Époque : Dao Guang
1821-1850
Longueur : 23 cm
Largeur : 13,2
Épaisseur : 3,9

**Pierre à encre.
Cette pierre à reflet mauve est un cadeau précieux offert par un gouverneur de Guandon (province de Canton) à l'Empereur Dao-Guan ; la presque totalité de la surface, restée vierge, permet de mieux apprécier sa qualité.**

N° 91
Époque : Qian Long
1736-1795
Pinceau Long : 23,8 cm
Boîte : 28,2 x 21,4 x 36,2 cm

**Coffre laqué rouge avec cinquante pinceaux.
Faits en poils de martre, les pinceaux ont des manches en bambou, en ivoire ou en bois de camphrier.
Chacun porte une poésie de l'Empereur Qian Long.**

QUELQUES ŒUVRES PEINTES ET CALLIGRAPHIES DES EMPEREURS KANG XI, QIAN LONG ET DE L'IMPÉRATRICE DOUARIÈRE CI XI

N° 92
Époque : Kang Xi
1662-1722
123,5 x 57,3 cm

**Poésie et Calligraphie
de l'Empereur Kang Xi
intitulée : « Regarder la lune sur
la digue aux Saules ».**

N° 94
Époque : Qian Long
1736-1795
112,5 x 43,7 cm

**Peinture
de l'Empereur Qian Long
intitulée :
« Les trois amis de l'hiver, le pin,
le bambou, et la prunus fleuri ».**

N° 93
Époque : Qian Long
1736-1795
104,4 x 76,5 cm

**Poésie et Calligraphie de
l'Empereur Qian Long
intitulée : « Écouter le vent dans
le bosquet de bambou ».**

N° 95
Époque : Guan Xio
1875-1908
124 x 63 cm

**Peinture de l'Impératrice
Douairière Ci Xi.
Fleurs de pivoine peintes à
l'aquarelle sur soie avec un titre :
« Beauté céleste née de
l'Opulence Naturelle ».**

VII. SALLE DES « TROIS RARETÉS » : CABINET DE TRAVAIL DE L'EMPEREUR QIAN LONG

N° 96 (1) à 96 (13)
Vases muraux de la Salle des
Trois Raretés ornés de motifs.
Ils portent des fleurs en pierres
semi-précieuses.

N° 96 (20)
Époque : Kang Xi
1662-1722
23 x 21,2 x 3,2 cm

Pierre à encre à reflet mauve avec
son coffre en bois orné d'un
médaillon en jade.

N° 96 (14)
Époque : Qian Long
1736-1795
Hauteur : 13,8 cm
Diamètre : 13,2 cm

Porte-pinceau en jade gravé
d'une scène légendaire des
immortels Taoïstes.

N° 96 (21)
Époque : Qian Long
1736-1795
Hauteur : 29 cm

Coupe en cloisonné.
La forme est inspirée de coupe à
vin en bronze pour les rituels de
la dynastie des Shang
(16ᵉ à 11ᵉ siècle av. J.C.).
C'est un style caractéristique de
la fabrication de l'atelier impérial
de l'époque Qian Long.

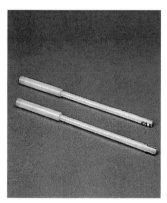

N° 96 (15) (16)
Époque : milieu Qing
1736-1820
Longueur : 24,2 cm

Deux Pinceaux à manche de jade
blanc.

N° 96 (22)
Époque : milieu Qing
1736-1820
20 x 11,8 x 6 cm

Boîte laquée rouge en forme de
livre décorée de motifs floraux.
Fabriquée par un atelier
de Suzhou sur commande
de la cour.

N° 96 (19)
Époque : Qian Long
1736-1795
Hauteur : 5,3 cm
Longueur : 12,5 cm

Porte-pinceau en jade sculpté
de trois oies.

N° 96 (23)
Époque : fin Qing
1820-1911
Hauteur : 21 cm

Vase taillé dans une seule
pièce de jade, sur lequel sont
sculptés 9 lézards en haut-relief.

N° 96 (24)
Époque : Qian Long
1736-1795
Hauteur : 12,5 cm

Objet d'art en jade inspirée des coupes rituelles à vin.
Il est taillé
dans une seule pièce de jade blanc nuancé de bleu, aux motifs de Lézard-Dragon en haut-relief.

N° 96 (28)
Époque : milieu Qing
1736-1820
Hauteur : 8,5 cm
Diamètre : 15,5 cm

Crachoir en bois laqué rouge.
Il est placé soit sur un lit, soit près d'un fauteuil, dans les appartements.

N° 96 (25)
Époque : Qian Long
1736-1795
Hauteur : 30,8 cm

Porte-chapeau en forme de champignon.
Fait en jade et en bois.
Le disque est gravé de caractère « longévité »
et le montant en bois incrusté de fils d'or.

N° 96 (29)
Époque : milieu Qing
1736-1820
Hauteur : 34,6 cm

Chandelier taillé dans un jade vert foncé tacheté de blanc.
Il est en trois pièces : socle, plateau et colonne, reliés au centre par une tige en bronze.

N° 96 (26)
Époque : milieu Qing
1736-1820
Longueur : 42,6 cm

Sceptre en jade. Cette forme de sceptre appelée « Ruyi » est le symbole du « Bonheur » par excellence. Tous les membres de la noblesse en possèdent et s'en font réciproquement cadeau.

N° 96 (30)
Époque : Qian Long
1736-1795
Hauteur : 11 cm

Un ensemble pour brûler l'encens en poudre ou en baguettes.
Fait en bronze cloisonné par l'atelier impérial.

N° 96 (31)
Petite table incrustée (hors catalogue).

N° 96 (27)
Époque : Qian Long
1736-1795
Hauteur : 35 cm

Brûle-parfum en jade vert.
Il est doublé d'une coupe en bronze pour amortir la chaleur ; le couvercle ajouré permet la diffusion de parfum. Le socle est en cloisonné.

N° 96 (36)
Époque : Qing
1644-1911
Paysage pour le mur du de la « Salle des Trois Raretés ».